Chère lectrice,

L'été se termine, mais il se termine en beauté en compagnie des héros de ce mois de septembre, pleins d'humour et de tendresse…

Dans *Pour le bonheur d'un prince* (n° 2025), le dernier volet de votre série Mariage royal, vous découvrirez en effet à travers les aventures de Shannon et Marco que l'amour se trouve toujours là où on s'y attend le moins… C'est aussi l'expérience que fait Henry dans *Le pari de l'amour* (n° 2026). Car ce gentleman célibataire habitué à marier ses amis va comprendre que, à son tour, il est tombé amoureux… Dans *Une maman idéale* (n° 2027), c'est un bébé de sept mois, la petite Katie, qui va faire prendre conscience à Amelia et Larrie, collègues dans un cabinet d'avocats, qu'ils sont amoureux l'un de l'autre alors qu'ils pensaient cordialement se détester ! Eh oui, dans le domaine professionnel, les relations entre collègues ne sont pas toujours simples. Careen peut en témoigner elle aussi puisque, dans *Un papa inespéré* (n° 2028), elle tombe amoureuse… de son patron ! Enfin, dans *Un mariage de rêve* (n° 2029), vous verrez comment, entre Katie et Jared, la passion est née en un seul regard…

Bonne lecture !

La responsable de collection

Une maman idéale

HOLLY JACOBS

Une maman idéale

COLLECTION HORIZON

éditions Harlequin

Cet ouvrage a été publié en langue anglaise
sous le titre :
BE MY BABY

Traduction française de
LÉA ROBERT

HARLEQUIN®

est une marque déposée du Groupe Harlequin
et Horizon® est une marque déposée d'Harlequin S.A.

Originally published by SILHOUETTE BOOKS,
division of Harlequin Enterprises Ltd.
Toronto, Canada

© 2004, Holly Fuhrmann. © 2005, Traduction française : Harlequin S.A.
83-85, boulevard Vincent-Auriol, 75013 PARIS — Tél. : 01 42 16 63 63
Service Lectrices — Tél. : 01 45 82 47 47
ISBN 2-280-14444-1 — ISSN 0993-4456

1.

« Le service météo annonce qu'une forte tempête de neige s'abattra sur la ville d'Erie en Pennsylvanie. Prévoyez entre trente et quarante-cinq centimètres de neige devant chez vous, comme c'est le cas presque tous les hivers dans notre chère ville d'Erie... »

Amelia Gallagher éteignit la radio d'un geste un peu trop brusque.

Certaines choses ne changeraient jamais.

Elle aurait pourtant apprécié un peu de variété, songea-t-elle, mais ne verrait pour tout changement... que plus de neige qu'hier.

Beaucoup plus de neige.

Larry Mackenzie franchit soudain la porte du cabinet d'avocats Wagner, McDuffy, Chambers et Donovan, interrompant les sombres pensées de la jeune femme.

— Si tes yeux ne cessent pas très vite de lancer des éclairs, tu vas faire fuir nos clients ! lui dit-il.

Puis il entreprit sereinement d'enlever la neige qui encombrait ses chaussures... sur la moquette du hall d'entrée.

Quel odieux personnage !

Il avait pourtant un visage d'ange, d'après certaines personnes. Quelques avocates juraient même que l'expression « beau brun ténébreux » avait été inventée pour lui. Mais Amelia n'était pas dupe. Sa mère lui avait toujours dit de juger un homme sur ses actions… Or, le passe-temps favori de Larry était de l'agacer.

Bien entendu, elle faisait de son mieux pour lui rendre la pareille.

Larry Mackenzie ne trouvait pas son prénom assez sérieux pour un avocat, et préférait se faire appeler Mac.

— Dis, Larry…

— Appelle-moi Mac, la corrigea-t-il pour la énième fois.

— Pas tant que tu saliras le sol… Franchement, le caniche de ma voisine est mieux éduqué que toi ! continua-t-elle, cachant un sourire.

Mac se renfrogna ; aussitôt, Amelia sentit sa bonne humeur revenir : elle adorait le contrarier.

— Tu as eu trois messages d'une certaine Kim Lindsay pendant que tu étais au tribunal, ajouta-t-elle, lui tendant une liasse de papiers. Elle demande à être rappelée d'urgence.

Mac étudia les messages, les sourcils froncés.

— Lindsay… Kim Lindsay… Cela ne me dit pourtant rien. A-t-elle dit de quoi il s'agissait ?

Amelia haussa les épaules.

— Ecoute, je prends les messages, je ne demande pas une autobiographie ! Sans doute l'as-tu rencontrée dans un bar la semaine dernière, pour l'oublier aussitôt.

— Je n'ai mis les pieds dans aucun bar la semaine dernière ! A part pour le Bar Mitzvah du fils de Mark, peut-être…

— Très drôle, Larry.

Encore un des nombreux défauts de Larry Mackenzie : il se croyait drôle.

A la réflexion, beaucoup riaient à ses facéties. Mais certainement pas Amelia ! Lorsqu'elle pensait à lui, les qualificatifs qui lui venaient à l'esprit appartenaient à une tout autre catégorie.

Agaçant.

Enervant.

Egocentrique.

Cavalier.

Agaçant… Zut, elle avait déjà cité celui-là.

Séduisant, si on aimait la beauté superficielle… Ce qui n'était pas son cas, bien sûr ! Il lui arrivait juste, parfois, d'oublier ce fait et d'apprécier la vue de son collègue…

Comme en ce moment, alors qu'il se tenait devant elle, riant de son propre trait d'esprit. Chez n'importe qui d'autre, Amelia aurait trouvé ces yeux rieurs plutôt attendrissants…

Mais Larry Mackenzie était tout sauf cela. Pour chasser ces pensées troublantes, elle fixa résolument la flaque d'eau qu'il avait créée sur le sol.

Là. Elle se sentait mieux à présent. Larry était agaçant et égocentrique.

Elle soupira. Voilà qu'elle se répétait, à présent ! Il lui faudrait passer la journée à trouver de nouveaux adjectifs pour qualifier Larry Mackenzie. De quoi aurait-elle l'air si elle en manquait à la prochaine joute oratoire ?

— Ecoute, si tu n'arrives pas à m'appeler Mac, peut-être devrais-tu m'appeler M. Mackenzie ?

— Je préfère te surnommer…

Elle ne trouva pas de chute satisfaisante à sa phrase, mais fut sauvée par l'arrivée d'Elias Donovan, l'un des associés du cabinet.

— Allons allons, les enfants, si vous vous apprêtez encore à vous battre, je vais devoir vous séparer et vous envoyer au coin !

Amelia nota qu'il avait sommairement nettoyé ses chaussures *avant* d'entrer. Enfin quelqu'un qui se préoccupait du travail d'autrui, contrairement à certains…

— Ce ne sera pas nécessaire ; *Larry* s'en allait, justement, déclara-t-elle.

Mac ne répliqua pas ; tournant les talons, il gravit les marches qui menaient à son bureau.

— Es-tu vraiment obligée de t'attaquer à lui de façon aussi… systématique ? demanda Donovan.

— Non… Je ne suis pas non plus forcée de me brosser les dents chaque jour, mais j'aime bien mon sourire et j'en prends soin. De la même façon, j'aime bien lancer des piques à Larry… Je dois m'exercer tous les jours si je ne veux pas perdre la main !

Donovan éclata de rire, puis se dirigea à son tour vers l'escalier.

— Au fait, dit-il en s'arrêtant à mi-chemin, si tu as besoin que je t'emmène au travail lundi, appelle-moi ! Ta voiture ne ferait pas deux mètres dans une tempête de neige.

— Merci, Donovan.

Quel homme sympathique, songea-t-elle. Sa famille s'agrandissant, il venait d'acheter un 4x4 et l'avait déjà dépannée plusieurs fois, lorsque la neige rendait les routes impraticables. Larry se ficherait bien de la savoir bloquée par la neige à mi-chemin entre le cabinet et son appartement !

Donovan, quant à lui, était un homme bien. Et il avait raison, sa vieille guimbarde ne survivrait jamais à une tempête de neige. Dès qu'elle aurait mis suffisamment d'argent de côté pour un premier versement, elle comptait bien s'offrir une voiture.

Toute neuve. Avec une odeur de voiture… neuve.

Et des sièges chauffants, peut-être même en cuir !

Son amie Libby s'en était récemment offert une, avec des options fabuleuses ; il lui suffisait d'activer une petite télécommande et lorsqu'elle sortait de chez elle cinq minutes plus tard, la voiture était chauffée !

Ah, quel luxe…

Bientôt Amelia aurait elle aussi économisé assez d'argent pour s'acheter une voiture similaire. Après s'être occupée de ses frères pendant des années, elle allait enfin pouvoir se concentrer sur ses envies.

Leur père les avait quittés lorsqu'elle était toute petite… mais il ne s'était jamais vraiment occupé d'eux, et Amelia n'avait pas pleuré son départ…

En revanche, lorsque sa mère était décédée, elle avait cru que son cœur s'était brisé à jamais. A tout juste vingt et un ans, Amelia s'était retrouvée chef de famille.

Très vite, elle avait pris sa décision : elle arrêterait ses études pour travailler et élever ses petits frères, qui méritaient toute l'aide qu'elle pourrait leur apporter.

Après six années à tirer le diable par la queue pour financer les études de Marty et de Ryan, elle était enfin libérée de ses contraintes financières. Amelia avait passé toute sa vie à veiller sur autrui… il était temps à présent de s'occuper un peu d'elle-même, et de réaliser ses rêves !

Encore fallait-il décider ce dont elle avait envie… elle pourrait reprendre ses études, faire du parachutisme, ou encore…

Une kyrielle d'opportunités s'offrait à elle. Une voiture neuve avec ses sièges chauffants ne serait qu'un début ! La vie tendait enfin les bras à Amelia Gallagher.

Non, pas Amelia, décida-t-elle.

Ce nom lui donnait l'impression de porter toutes les responsabilités du monde sur ses épaules.

Mia.

Ses proches l'avaient surnommée ainsi lorsqu'elle était plus jeune, insouciante et gaie… Après la mort de sa mère, Mia avait perdu son sobriquet pour redevenir Amelia.

Amelia la responsable ; celle qui se chargeait de tout, prenait soin de tout le monde.

Eh bien, décida-t-elle, son droit à l'insouciance lui était rendu à présent. Elle redevenait Mia, et tout de suite ! Si Amelia n'avait aucune idée de ce qu'elle désirait faire de sa vie, Mia le découvrirait très vite, elle en était persuadée.

Toute contrariété oubliée, Mia passa sa matinée à rêver, énumérant toutes les choses qu'elle s'offrirait bientôt. Très bientôt.

— Ceci n'est qu'une solution temporaire, monsieur Mackenzie. Vous allez devoir vous décider très vite.

— D'après la loi, c'est mon droit.

Même s'il n'avait aucune idée de ce qu'il faisait là, Mac se raccrochait à la seule chose qu'il connaissait bien : les textes de loi.

— Je ne me soucie que de l'enfant, monsieur Mackenzie, et je ne sais pas s'il est dans son intérêt que vous exerciez vos droits, rétorqua Mme Lindsay.

Son regard indiquait clairement qu'elle le croyait incapable de gérer la situation.

— Sa mère m'a choisi comme tuteur. C'est donc à moi de me préoccuper de l'avenir de Katie.

Lui, Mac, avait la garde d'un tout petit être. Cette pensée le terrorisait.

Serait-il à la hauteur ? Ou fuirait-il ses responsabilités… comme ses propres parents l'avaient fait ?

Refusant d'envisager cette possibilité, il secoua la tête ; les Mackenzie avaient gâché son enfance, et cela n'arriverait pas à Katie.

Après tout, personne ne lui demandait de s'engager pour la vie ! Il lui trouverait un foyer ; une famille aimante sur laquelle elle pourrait compter. C'était aussi simple que cela.

Mac avait du mal à croire que sa vie ait pu changer aussi radicalement en si peu de temps.

En appelant la mystérieuse Kim Lindsay, moins d'une heure auparavant, il avait imaginé toutes sortes de scénarios possibles…, mais certainement pas celui-là ! Et pourtant, il se tenait là, dans le salon d'une certaine Esther Thomas, en compagnie de Mme Lindsay.

Celle-ci n'était pas, comme l'avait insinué Amelia, une inconnue séduite dans un bar et oubliée aussitôt… Mais il pouvait toujours compter sur Amelia pour imaginer le pire à son sujet, songea-t-il avec amertume. Pour une fois, Mac aurait aimé qu'elle ait raison : au moins aurait-il pu oublier cette femme et vivre sa vie comme avant ! Mais non… Mme Lindsay était l'assistante sociale en charge de son dossier.

Du dossier O'Keefe, se corrigea-t-il. Kim Lindsay était chargée de découvrir si cette enfant avait encore de la famille… et de lui en trouver une si personne ne se manifestait.

Katie O'Keefe n'avait aucune famille connue, mais elle avait Mac.

Son tuteur.

Il avait la responsabilité de ce bébé, et Mme Lindsay semblait l'oublier.

— J'ai déjà trouvé une famille d'accueil pour Katie, disait-elle. La gardienne de l'immeuble m'a laissée entrer dans l'appartement de Marion O'Keefe, et j'ai trouvé votre nom dans ses papiers. J'ai cru comprendre que vous étiez la personne à contacter en cas d'urgence…

— Plus que cela, corrigea Mac. Je suis le tuteur de Katie. Je vous ai montré tous les papiers officiels.

— Mais vous avez également admis ne jamais avoir imaginé que cette histoire irait si loin, ne rien savoir des bébés, et pour finir, que vous ne projetez pas de la garder, énuméra-t-elle, comptant sur ses doigts. Dans ce cas…

— Je serais prête à la garder, si on me paie, interrompit Esther Thomas. Juste assez pour couvrir ses frais, vous comprenez…

Mac étudia de plus près la voisine de Marion O'Keefe. Frêle et âgée, elle paraissait incapable de veiller sur elle-même, et encore moins sur un petit enfant…

— Non, dit-il, alors même que l'assistante sociale faisait écho à ses paroles.

Ils échangèrent un regard complice. Peut-être n'étaient-ils pas d'accord sur l'endroit où Katie O'Keefe devait vivre, mais ce n'était pas avec cette femme, il n'y avait aucun doute sur ce point.

— C'est-à-dire…, reprit-il lorsqu'il vit le visage renfrogné de la voisine, j'apprécie tout ce que vous avez fait pour Katie, mais sa mère m'a demandé de m'occuper d'elle, et j'ai bien l'intention de tenir ma promesse.

Alors que la vieille femme s'éloignait dans le couloir en maugréant, Mme Lindsay ouvrit un dossier.

Mac reconnut cette tactique. Il l'employait souvent lui-même ; consulter ses documents donnait à l'assistante sociale un sentiment d'autorité, et rappelait à Mac qu'elle menait cette affaire. Ensuite, elle le regarderait droit dans les yeux et dévoilerait un nouvel argument.

Mac n'eut pas à attendre longtemps. Mais lorsque la jeune femme releva la tête, il ne lui laissa pas le temps de parler.

— Je la prends avec moi. Après tout, ce n'est que pour un court laps de temps… Et sa mère me faisait confiance.

— Expliquez-moi comment un avocat devient le tuteur d'une parfaite inconnue…

— Mme O'Keefe n'avait pas de famille ; le père de l'enfant étant mort avant sa naissance, Marion voulait s'assurer que sa fille n'atterrirait jamais dans un orphelinat. Elle savait qu'il lui fallait un tuteur, quelqu'un qui puisse veiller sur les intérêts de Katie si quelque chose lui arrivait.

— Mais pourquoi vous ?

— Elle avait lu des articles sur quelques-unes de mes affaires, et savait que j'avais aidé à organiser plusieurs adoptions.

Il travaillait bénévolement pour *Notre Foyer*, une agence à but non lucratif qui s'efforçait de trouver une famille adoptive aux enfants les plus démunis. Mais Mac n'était que rarement en contact direct avec les bébés, et n'avait jamais été tuteur auparavant !

Il aurait dû dire non à cette femme, songea-t-il. Bien qu'un avocat ait le droit de devenir tuteur en Pennsylvanie, les cas restaient rares. Il aurait tout simplement dû refuser…

Il avait bien failli, d'ailleurs, mais lorsqu'elle était venue lui raconter son histoire, Marion O'Keefe avait eu l'air si seule ! Malgré tous ses efforts pour rester neutre, Mac avait eu de la peine pour elle ; il savait combien il était difficile de n'avoir personne sur qui compter.

— Je n'ai personne d'autre vers qui me tourner, monsieur McKenzie, avait-elle expliqué. Je ne vous demande pas de l'élever, mais vous avez traité plusieurs cas d'adoption… Vous sauriez trouver un bon foyer pour ma petite, j'en suis certaine.

— Votre petite ?

— Oui, je viens de faire une échographie, c'est une fille.

Marion s'était mise à sourire, caressant doucement son ventre arrondi. Une caresse remplie d'amour.

A ce moment précis, Mac avait pris conscience qu'il ne pourrait pas dire non. Soudain, il avait envié ce bébé à naître.

Sa mère la désirait tant ! Marion O'Keefe avait aimé son enfant avant même de la mettre au monde, s'était inquiétée de son avenir... et lui avait fait confiance, à lui, pour la protéger si elle n'en était pas capable.

Mac n'avait pas eu le cœur de refuser sa requête. Il avait donc accepté le rôle de tuteur, juste au cas où il arriverait malheur à Marion O'Keefe, puis avait oublié toute l'histoire. Après tout, elle était jeune et semblait en bonne santé lorsqu'il l'avait reçue dans son cabinet. Personne n'aurait pu prévoir qu'une rupture d'anévrisme lui ôterait la vie.

Mac se sentit soudain triste pour cette femme et pour son bébé qui ne saurait jamais combien sa mère l'avait aimée avant même qu'elle fût née.

Peut-être n'avait-il pas mesuré les conséquences de son geste, mais l'enfant n'en était pas moins sous sa responsabilité à présent ; il ne devait décevoir ni Marion, ni le petit être sans défense qu'elle lui avait confié. Et si Katie ne devait jamais connaître l'amour de sa mère, il s'assurerait qu'elle soit placée dans une famille où elle serait aimée, tout simplement. Il était hors de question de la confier à l'Etat, se dit-il. Tant qu'il ne lui aurait pas trouvé de foyer digne de ce nom, il s'occuperait d'elle lui-même.

— J'ai promis à sa mère, reprit-il avec conviction. J'ai l'obligation éthique de m'assurer personnellement de son bien-être.

— Mais...

— Madame Lindsay, à moins que vous ne trouviez une raison légale indiquant que je ne peux pas garder cette enfant, notre conversation est terminée.

La jeune femme soupira.

— Accepterez-vous au moins de prendre ma carte et de m'appeler en cas de besoin ?

16

— Je suis peut-être têtu, dit-il avec un sourire qu'il espérait désarmant, mais je ne suis pas stupide. Je vous appellerai de toute façon, pour vous donner de ses nouvelles et vous dire quels projets j'ai pour elle.

— Très bien. Il n'y a pas grand-chose dans l'appartement de Marion… pas même un berceau pour l'enfant. Elle ne devait pas être bien riche …

— Je sais, l'interrompit Mac. J'ai d'ailleurs voulu rédiger son testament gratuitement, mais elle a refusé.

Marion O'Keefe était peut-être pauvre, mais elle avait sa fierté. Elle avait envoyé 5 dollars à Mac, chaque semaine sans exception, jusqu'à ce que sa dette soit remboursée.

Il s'assurerait que Katie soit mise au courant des grandes qualités de sa mère, songea-t-il.

— Le concierge m'a dit qu'il emballerait toutes ses affaires personnelles et vous les enverrait…

— C'est parfait.

L'assistante sociale se dirigea vers la porte.

— Monsieur Mackenzie, savez-vous au moins dans quelle aventure vous vous lancez ?

— Quel âge a-t-elle ? s'enquit-il.

Cela faisait moins d'un an que Marion O'Keefe lui avait rendu visite…

Mme Lindsay jeta un œil à sa fiche.

— Elle a sept mois.

— Sept mois ? Mac éclata de rire. Cela ne doit pas être bien compliqué !

Ce fut au tour de Kim Lindsay de s'esclaffer.

— Nous en reparlerons dans un ou deux jours, monsieur Mackenzie…

Avant que Mac ait pu s'inquiéter de cette réponse, Mme Thomas réapparut avec un gros sac.

— J'ai mis ses habits et ses affaires dedans, dit-elle. Il ne reste que deux couches, vous devriez aller en acheter tout de suite.

— Merci, madame Thomas.

— Bon, je vais la chercher.

Il fallait à présent passer des papiers officiels à un enfant en chair et en os… Pourquoi n'avait-il pas laissé Mme Lindsay confier Katie à quelqu'un d'expérience, provisoirement du moins ? songea Mac, soudain pris de panique.

Mais il ne s'en sentait pas le droit. Allons, se dit-il, ce ne serait pas si long de lui trouver une famille aimante.

— La voici !

Mme Thomas tenait le bébé dans une couverture bleu clair, propre et douce, qui détonnait avec l'apparence délabrée du reste de l'appartement.

Mac lui prit l'enfant des bras, et étudia son visage angélique. Elle dormait, son pouce tombant presque de sa bouche entrouverte. Katie O'Keefe était magnifique.

Alors qu'il caressait du doigt la joue rebondie du bébé, Mac se sentit fondre. Elle avait l'air si vulnérable… Repoussant la couverture, il découvrit une étonnante masse de cheveux roux. Comme sa mère, songea-t-il avec un élan de tendresse pour la petite orpheline.

— Merci encore, madame Thomas.

La vieille femme grommela une réponse inintelligible.

Et maintenant, qu'allait-il bien pouvoir faire ? songea-t-il en se dirigeant vers la porte. Il avait assuré à l'assistante sociale qu'il serait capable d'assumer une telle responsabilité, mais par où commencer ?

Il n'y arriverait jamais tout seul !

Mais appeler à l'aide n'était vraiment pas son fort.

Peut-être pourrait-il appeler son ancienne voisine ? Non, elle habitait désormais Pittsburgh. Oh, il ne doutait pas qu'elle accourrait immédiatement…, mais il ne voulait pas s'imposer.

Leland Wagner, le directeur du cabinet, avait une femme et deux grandes filles qui pourraient peut-être le conseiller… Non, décidément, il ne pouvait pas solliciter Mme Wagner, de quoi aurait-il l'air ?

Allons, parmi ses collègues, il allait bien trouver quelqu'un. Mac se creusa les méninges, passant en revue toutes les avocates, toutes les épouses d'avocats qu'il connaissait suffisamment pour les appeler…

Mais chaque fois, un seul nom lui revenait à l'esprit.

Amelia Gallagher.

Comment diable cette idée saugrenue lui était-elle venue ? Elle ne l'aimait pas, et faisait tout son possible pour le montrer. Ce qui l'arrangeait bien, car il ne l'aimait pas non plus, se dit-il.

C'était pourtant une belle femme. Une très belle femme.

Mais elle ne semblait pas s'en apercevoir… Amelia n'avait pas une once de coquetterie, alors que tout homme normalement constitué remarquait immédiatement ses cheveux blonds et son incroyable regard, d'un bleu perçant.

Son visage était très avenant…, mais ce n'étaient pas ses traits réguliers qui la rendaient belle. C'était son sourire. Lorsque Amelia souriait, ses yeux pétillaient réellement, Mac l'aurait juré.

Le bébé bougea brusquement dans ses bras, interrompant sa rêverie. Heureusement, songea-t-il ; à sa connaissance il n'avait jamais eu de pensées aussi bêtement romantiques pour aucune femme…

Katie gazouilla.

— Où en étais-je, déjà ? lui demanda-t-il. Ah oui, Amelia Gallagher est une femme, donc elle doit s'y connaître un minimum en bébés.

Elle ne ratait jamais une occasion de faire des heures supplémentaires… il pouvait lui proposer de la payer !

Quelle excellente idée ! se dit-il. Louer les services de quelqu'un était beaucoup moins gênant que de quémander une faveur…

Mac s'aperçut qu'il avait atteint sa voiture. Il regarda le bébé, le sac plein à ras bord et l'encombrant siège-auto… Mon Dieu, comment allait-il se sortir de tout cela ?

Il était 17 h 45. Dans cinq minutes, songea Mia, elle pourrait rentrer chez elle.

Ouf.

Elle avait eu une dure et longue journée.

Tout d'abord, la photocopieuse était tombée en panne. Le réparateur avait annoncé qu'elle ne serait pas prête avant lundi… Bien sûr, la moitié du cabinet s'était empressé de lui apporter un monceau de photocopies à faire ! C'était une question de vie ou de mort, disaient-ils, et Mia avait renoncé à son heure de déjeuner pour se rendre dans un centre de photocopies voisin.

L'après-midi s'était écoulé à toute vitesse, avec son lot d'appels téléphoniques et de messages à transmettre. Puis une femme était sortie d'un bureau, en larmes. Elle n'avait pas dit de quoi il s'agissait, mais Mia avait mis au moins quinze minutes à la calmer.

Le seul bon moment de la journée avait été sa petite prise de bec avec Mac…

Il ne restait plus que quatre minutes.

Mia se leva et commença à ranger son bureau, rêvant du bon bain chaud qu'elle prendrait en rentrant.

Avec de la mousse, et un bon roman.

Otant ses escarpins, elle ouvrit un placard et en sortit ses bottes. Elles n'étaient pas élégantes, mais la chaleur primait sur l'apparence, par un temps pareil !

Encore trois minutes…

— Bonsoir, Amelia ! lui lança un petit groupe d'avocats en sortant de l'immeuble.

— 'Soir !

Plus que deux minutes…

Le directeur, Leland Wagner, sortit à son tour.

— Vous fermerez la boutique, ma chère ?

— Bien sûr.

— Voulez-vous que je reste pour m'assurer que votre voiture démarre ?

— Non merci, monsieur. Je viens d'acheter une batterie neuve, tout devrait bien se passer.

— Bien. Bonne nuit alors, et conduisez prudemment.

— Vous aussi.

18 heures pile.

Amelia enfila rapidement ses nombreux pulls, puis sa veste trop fine. Peut-être devrait-elle songer à s'acheter un manteau avant de rêver d'automobiles luxueuses, songea-t-elle. Ah, mais si elle s'achetait une voiture neuve, elle n'aurait certainement pas besoin d'un manteau !

Plongée dans ses pensées, la jeune femme s'emmitoufla dans une grande écharpe et enfonça son bonnet de laine fermement sur sa tête. Puis elle enclencha l'alarme et se glissa dehors.

Tout était blanc.

La neige tombait à gros flocons, et recouvrait le sol d'un épais tapis. Au moins quinze centimètres de plus qu'à l'heure du déjeuner ! Ce n'était pas une tempête, mais cela en prenait le chemin…

A peine avait-elle quitté le perron qu'un Voyager bleu s'arrêta devant le bâtiment. La vitre côté passager s'abaissa.

— Amelia, heureusement que tu es encore là ! cria une voix.

Mac, bien sûr, songea-t-elle avec amertume. Qui d'autre viendrait la déranger alors même qu'elle fermait le cabinet ?

— De quoi as-tu besoin, Larry ? dit-elle d'un ton exaspéré.

— J'ai besoin de toi, répliqua-t-il sans même relever son choix de prénom.

Mia faillit s'étouffer.

— Pa… pardon ?

— Pas de toi précisément, mais de ton aide, corrigea-t-il. Monte en voiture ! S'il te plaît !

— Mais…

— S'il te plaît, Amelia.

Ce n'était visiblement pas le moment d'argumenter ou de le taquiner, se dit-elle. Quelque chose n'allait pas.

Engoncée dans ses nombreux vêtements, elle se dirigea tant bien que mal vers la voiture. A mesure qu'elle s'approchait, un autre bruit se faisait entendre par-dessus le vrombissement du moteur.

On aurait dit…

Elle ouvrit la portière et regarda sur le siège arrière.

C'était bien cela… un bébé.

Qui hurlait à pleins poumons.

2.

— Qu'as-tu encore fait, Larry ? lui demanda-t-elle d'un ton accusateur, les yeux rivés sur l'enfant.

— Au lieu de poser des questions, contente-toi de monter et d'attacher ta ceinture, vite ! Elle ne pleure que lorsque la voiture s'arrête. Tant qu'on roule, elle est calme.

Mac avait appris cela à ses dépens. Le trajet entre la maison d'Esther Thomas et le cabinet était parsemé de feux de signalisation.

Pour ne rien arranger, tous étaient passés au rouge au moment même où il s'en approchait… et l'étaient restés très, très longtemps. Car quelques minutes paraissent toujours une éternité lorsqu'on subit les cris perçants et ininterrompus d'un bébé.

Et, en parlant d'éternité… Mia était d'une lenteur horripilante ! songea-t-il en la regardant s'installer.

— Prête ? cria-t-il pour se faire entendre malgré les cris.

Elle acquiesça.

Mac s'empressa de passer la première et démarra en trombe. Comme par enchantement, l'enfant cessa immédiatement de pleurer.

— Maintenant, dis-moi ce qui se passe, Mac.

Elle était visiblement trop déconcertée pour le taquiner.

— Te rappelles-tu ce message que tu as pris pour moi aujourd'hui ? Une certaine Kim Lindsay... Eh bien, elle appelait pour m'annoncer que j'ai un enfant.

— Oh, Larry, comment as-tu pu être aussi imprudent ?

Il la fusilla du regard.

— Je n'ai pas commis d'imprudence. Mais je ne suis pas étonné que tu imagines toujours le pire en ce qui me concerne. Kim Lindsay est l'assistante sociale du bébé ; j'en suis le tuteur légal.

Amelia resta silencieuse un moment.

— Je suis désolée de t'avoir jugé trop vite, murmura-t-elle enfin.

Amelia Gallagher s'excusait ? Voilà qui ne lui ressemblait guère... Il hocha la tête, puis se concentra sur la route.

— L'année dernière, une femme est venue me voir au cabinet, dit-il sans la regarder. Elle m'a demandé de rédiger son testament, et également de devenir son exécuteur testamentaire et le tuteur légal de son enfant. Je sais bien qu'il est inhabituel pour un avocat de remplir ces fonctions, et normalement, j'aurais refusé, mais...

Il marqua une pause. Amelia ne posa aucune question.

— Elle n'avait aucune famille, le père de son enfant était décédé depuis peu, et pour couronner le tout, elle venait d'arriver en ville... Elle était seule au monde. Comme elle travaillait au tribunal, elle a entendu parler de certains cas dont je m'étais occupé concernant des enfants et... Eh bien, je n'ai pas eu le cœur de refuser.

Mac s'en souvenait parfaitement, même après tout ce temps. Elle était pâle... trop pâle, même pour une rousse. Il aurait dû se douter qu'elle était malade, se dit-il, il aurait dû essayer de l'aider...

Kim Lindsay disait qu'elle était morte sans souffrir, d'une rupture d'anévrisme. Personne n'aurait pu la sauver, avait-elle ajouté.

Mais Mac se sentait tout de même coupable.

— Je n'ai jamais pensé que ce testament servirait si tôt…, reprit-il à voix basse. Elle est morte hier, et voici sa fille.

— Oh, la pauvre petite…

Mia jeta un œil à l'arrière ; l'espace d'une seconde, Mac crut apercevoir une larme perler à ses paupières.

— Comment puis-je t'être utile ? demanda-t-elle aussitôt.

Il s'était attendu à devoir l'attendrir, lui promettre de l'argent… Jamais il n'aurait cru qu'elle lui offrirait si spontanément son aide !

— Je n'y connais rien en bébés…, admit-il.

— Je ne suis pas une experte non plus. Enfin, j'ai fait du baby-sitting, j'en déduis donc que j'en sais plus que toi, mais… cela fait des années que je ne me suis pas occupée d'un enfant.

— En sais-tu assez pour m'aider à acheter ce dont elle a besoin ? Au moins de quoi pallier au plus pressé. Il ne reste que deux couches et une boîte de lait en poudre. L'appartement de sa mère ne contenait pas grand-chose, pas même un berceau, et je sais que ce qu'on m'a donné ne suffira pas pour cette nuit, sans parler de quelques jours ! Je te paierai, bien sûr.

Amelia lui jeta un regard féroce, comme s'il l'avait insulté. Mais même sans le vouloir, vexer Amelia semblait lui venir naturellement, songea-t-il.

— Je n'ai pas besoin de ton argent, dit-elle avec un froncement de sourcils.

L'enfant émit un petit gazouillis à l'arrière, et le visage d'Amelia s'adoucit.

— Je suppose que je peux vous aider à vous installer, reprit-elle. Dois-je comprendre que tu la gardes ?

Le feu dont ils approchaient passa au rouge. A la seconde où la voiture s'arrêta, Katie, fidèle à ses principes, se remit à hurler.

Mac attendit d'avoir redémarré et que le silence soit revenu pour répondre.

— Bien sûr que non, dit-il. Je suis incapable de m'occuper d'un enfant pendant deux jours, alors pour toute une vie, penses-tu...

— Mais dans ce cas, pourquoi ne pas avoir laissé Kim Lindsay la prendre avec elle ? C'est son travail, n'est-ce pas ?

L'estomac de Mac se serra à la seule pensée de laisser Katie O'Keefe aux bons soins de l'Etat, même pour un court laps de temps. Il savait exactement ce que cela faisait que d'être ballotté d'une famille à une autre. Oh, il n'était pas orphelin à proprement parler..., mais la stabilité d'un foyer lui avait cruellement manqué.

Il n'avait que huit ans lorsque ses parents s'étaient envolés pour Hollywood, la tête pleine de rêves de gloire... c'était du moins l'explication qu'on lui avait donnée. Mac avait toujours eu l'impression qu'ils en avaient tout simplement eu assez de jouer au papa et à la maman. Ils l'avaient envoyé chez sa grand-mère pour un court séjour, et avaient promis de revenir le chercher.

Mais ils n'étaient jamais revenus. Bien sûr, Mac avait reçu des cartes et des lettres... Et quelques appels téléphoniques, toujours pleins de promesses...vides. Ses parents ne pouvaient tout simplement pas assumer la responsabilité d'un enfant.

A la mort de sa grand-mère, Mac avait dix ans. Sa tante l'avait recueilli, visiblement à contrecœur. Et à peine une année plus tard, les parents de son meilleur ami l'avaient invité à venir chez eux. Il était resté chez les Zumigalas jusqu'à son

26

départ pour l'université ! Bien qu'ils l'aient traité comme un fils, Mac n'avait jamais perdu de vue le fait qu'ils pouvaient à tout instant décider de le chasser.

Il avait d'ailleurs vécu dans la crainte qu'on lui demande de partir… Mais les Zumigalas ne l'avaient jamais chassé, et l'invitaient toujours à venir passer les fêtes et les vacances à Pittsburgh, « à la maison ».

Pourquoi ce couple avait-il accueilli un étranger dans son foyer, accepté la responsabilité d'un autre enfant ? Après tout, si ses propres parents n'avaient pas voulu de lui…

Mais Mac n'avait pas besoin de les comprendre pour leur être reconnaissant. Bien plus qu'une chambre où loger, ils lui avaient offert un foyer, et c'est ce qu'il allait trouver pour Katie à présent.

De la stabilité, voilà en effet ce dont Katie avait besoin. Un foyer qui soit réellement le sien, et des parents qui ne l'abandonnent jamais.

— Sa mère me l'a confiée, dit-il enfin. Elle comptait sur moi pour lui trouver une famille correcte ; nous n'avons jamais pensé que je m'occuperais personnellement de sa fille, mais c'est le cas, et je la garderai avec moi jusqu'à ce qu'un autre arrangement soit trouvé.

— Quelle sorte d'arrangement ? demanda doucement Amelia.

— Je lui trouverai une famille d'adoption. Cela ne doit pas être bien difficile, c'est une magnifique petite, et elle n'a que sept mois. Des milliers de familles rêveraient de l'aimer, c'est certain.

Ils s'arrêtèrent de nouveau à un feu rouge et les cris de l'enfant résonnèrent instantanément dans la voiture.

— Tu crois qu'elle a faim ?

— Je ne sais pas... En fait, la vieille dame qui s'en occupait m'a mis un sac de couches dans les bras, et vogue la galère !

— Pourquoi ne pas nous arrêter quelque part et essayer de la nourrir... Peut-être sera-t-elle plus heureuse après ça ?

— D'accord.

Mac aurait fait n'importe quoi pour calmer l'enfant. Ses cris déchirants lui brisaient le cœur. Il se gara sur le parking d'une station-service.

— Je dois faire le plein, de toute façon, dit-il. Je commence à penser que la météo avait bel et bien raison à propos de cette tempête. Avec la petite, je ne peux pas risquer une panne d'essence.

Tandis qu'il remplissait le réservoir, Amelia sortit de la voiture et monta à l'arrière à côté du bébé. Mac ne put s'empêcher de l'observer tandis qu'elle fouillait dans le grand sac, puis donnait le biberon à Katie.

Elle s'était penchée au-dessus de l'enfant et lui parlait en souriant, mais il ne pouvait entendre ses paroles. Même sans voir ses yeux, Mac savait qu'ils pétillaient, pleins de... quoi au juste ? Il n'aurait su le dire, mais il se dégageait quelque chose du regard d'Amelia qui attirait tout le monde à elle.

Même les bébés.

Donovan disait d'Amelia qu'elle était sociable et amicale, en somme qu'elle était la parfaite réceptionniste. Mais Mac n'en avait jamais fait l'expérience...

Avec lui, elle se montrait plutôt hostile.

Elle ne cessait de lui chercher des noises... Et il le lui rendait bien. Leurs joutes oratoires étaient connues comme le loup blanc au bureau.

Pourquoi fallait-il toujours qu'elle s'acharne sur lui ?

Mac s'aperçut soudain que le réservoir était sur le point de déborder. Il arrêta prestement la pompe, remit le bouchon en place puis se dirigea vers la boutique pour régler la note, s'interrogeant toujours sur l'étrange Amelia et... l'effet que son sourire avait sur lui.

Mia regarda Mac s'éloigner. Pendant qu'il faisait le plein, il ne l'avait pas quittée des yeux.

— Qu'est-ce qui lui prend, Katie ? murmura-t-elle.

Son ton avait changé lorsqu'il lui avait parlé de l'enfant. Elle avait senti comme de la douleur et de la vulnérabilité dans sa voix. Trouver un foyer à Katie était visiblement plus important pour lui qu'il ne voulait l'admettre...

Jamais elle ne l'avait entendu parler comme ça... Soit, Larry faisait du bénévolat, mais elle avait toujours pensé qu'il ne faisait que suivre la politique du cabinet. Peut-être s'était-elle trompée...

Katie tétait avec enthousiasme. Elle avait faim... Très faim, à en juger par la rapidité avec laquelle elle vidait son biberon.

— Ne t'ont-ils donc pas nourrie ?

Le bébé sourit sans lâcher la tétine, et des bulles de lait se formèrent au coin de ses lèvres.

— Tu es vraiment mignonne, lui chuchota Mia.

Katie gargouillait son assentiment lorsque Mac revint s'installer au volant.

— Prête ?

— Bien sûr. Je vais rester avec Katie. Le temps qu'elle finisse son biberon, nous serons arrivés au supermarché.

— Parfait.

C'était presque un soulagement d'être assise à l'arrière. Au moins n'avait-elle pas à se préoccuper de la façon dont Mac la dévisageait. Non qu'elle fût timide, mais cela la mettait mal à l'aise.

Presque aussi mal à l'aise que ces questions qui lui venaient à l'esprit le concernant ; l'aurait-elle mal jugé ?

Tandis qu'elle regardait Katie boire goulûment, des souvenirs de Marty au même âge lui revinrent. Sa mère la laissait souvent le nourrir.

— Je te le confie, ma chérie, disait-elle.

Mia n'était elle-même qu'une enfant à l'époque… mais elle avait pris soin de Marty, puis de Ryan.

Après le départ de son père, elle avait essayé d'aider sa maman à les élever. Bien qu'elle n'eût que quelques années de plus qu'eux, Mia avait plus agi comme une mère que comme une sœur.

Maintenant, Ryan avait enfin fini ses études. Elle avait accompli son devoir et pouvait faire tout ce dont elle avait envie… Elle pourrait voyager…

Peut-être même sortir avec un homme ?

Oh, rien de sérieux. Mia ne souhaitait pas s'engager pour l'instant ; elle voulait s'amuser, partir à l'aventure et vivre ses rêves… Si toutefois elle arrivait à les identifier !

— Vous êtes bien calmes, à l'arrière.

Mia mit ses souvenirs de côté ; il lui fallait se concentrer sur l'instant présent.

— Après les cris de Katie, tu te plains du silence ?

— Certainement pas ! répondit-il en riant. Dis-moi, après avoir fait les courses, accepterais-tu de venir chez moi m'aider un peu ? Je dois acheter un berceau, des couches, et tout ce dont Katie pourrait avoir besoin pendant son séjour chez moi. Le temps que j'installe tout cela, quelqu'un devra s'occuper d'elle. Bien sûr, je te raccompagnerai ensuite au cabinet, et tu pourras récupérer ta voiture.

— Aucun problème, répondit Mia sans prendre le temps d'y réfléchir plus avant. Au point où nous en sommes…

Deux heures plus tard, la voiture débordait de matériel de puériculture. Mac avait acheté tout le magasin, à quelques articles près ! Le regarder comparer les différents pyjamas, se demander quelles couches irriteraient le moins les fesses de la petite Katie avait été…étrange. Mac était mignon, il fallait bien l'avouer.

Mignon, voilà bien un mot qu'elle n'aurait jamais songé à incorporer dans sa liste d'adjectifs désignant Larry Mackenzie… C'était tout simplement inacceptable ! Et surtout déstabilisant…

Mia ne rêvait à présent que de rentrer chez elle et d'oublier cet après-midi hors du commun.

Mais elle avait promis de l'aider à s'installer, se dit-elle alors qu'ils se garaient dans son allée. Allons, tout cela serait bientôt fini.

La maison de Larry ne ressemblait en rien à ce que Mia s'était imaginé ; la grande demeure de brique était située à Glenwood Hills, un quartier charmant et ancien. Un immense arbre trônait en plein milieu de son jardin ; l'été, il devait plonger toute la maison dans l'ombre, songea-t-elle. Pour l'heure, il semblait monter la garde contre la tempête.

— Allons-y, dit Mac. Si tu installais Katie au chaud pendant que je m'occupe de décharger la voiture ? J'en ai pour deux minutes, ajouta-t-il en lui lançant les clés de la maison.

Cela lui prendrait beaucoup plus que deux minutes, songea la jeune femme. Pour un homme qui clamait haut et fort qu'il ferait adopter ce bébé, il venait d'acheter plus qu'il n'en faudrait à Katie en un an : berceau, table à langer, vêtements, biberons,

tétines, jouets, peluches, couches de trois tailles différentes...
la liste n'en finissait pas !

— On y va, ma jolie, dit-elle en détachant le siège-auto
du bébé.

Mia transporta l'enfant sous le porche et ouvrit la porte.

— Les interrupteurs sont sur ta gauche, lui cria Mac.

Elle s'exécuta. Le porche s'illumina, mais l'intérieur du
salon resta plongé dans l'obscurité, à l'exception d'une petite
lampe de chevet éclairant un canapé de cuir usé.

Après avoir ôté ses chaussures, elle y déposa le siège-auto,
puis étudia la pièce.

Une immense cheminée, un piano... Mac en jouait-il, ou
était-ce seulement pour impressionner les visiteurs ?

Le grand canapé était assorti d'un fauteuil du même cuir,
sur lequel un plaid moelleux avait été négligemment jeté. Le
seul tableau au mur représentait un paysage de campagne
enneigé. Un intérieur simple, songea-t-elle, et...

Un coup sourd contre la porte la rappela à l'ordre ; elle
courut ouvrir à Mac.

— Pardon, dit-elle alors qu'il se hâtait vers l'intérieur, les
bras chargés de cartons et de sacs.

— Ce n'est rien. Je vais monter le plus gros dans la chambre
d'amis ; ce sera celle de Katie jusqu'à ce que je lui trouve
une famille.

Mia lui prit des bras le matériel destiné à la cuisine et le
déposa à côté du canapé.

— Puis-je t'aider ?

— Oui, à transporter son lit dès que j'aurai déposé le reste
là-haut.

— D'accord.

Elle le regarda monter l'escalier puis retourna auprès de
l'enfant, qui gazouillait à présent.

32

— Allez mademoiselle, il est temps de sortir de votre cocon.

Elle ouvrit la housse qui protégeait Katie de la neige et du froid.

— Coucou ! dit-elle alors que le bébé lui souriait en babillant. Oh, toi, tu vas en briser des cœurs !

— Est-ce qu'elle te répond ?

Mac se tenait dans l'encadrement de la porte, un sourire aux lèvres. Il avait fait vite.

— Non. Les bébés ne parlent pas encore, à cet âge.

— Je croyais que tu n'y connaissais rien ?

— En effet, mais tu m'as dit qu'elle avait sept mois. Je ne crois pas qu'elle parlera avant son premier anniversaire.

— Ah.

Il avait presque l'air déçu, songea-t-elle, amusée.

— Je vais la laisser dans son siège-auto jusqu'à ce que nous ayons fini d'installer ses affaires. Elle ne parle peut-être pas, mais il se peut fort bien qu'elle rampe déjà, et je ne veux pas qu'il lui arrive quelque chose pendant que j'ai le dos tourné.

Mia se hâta vers la voiture. Plus vite elle aurait aidé Mac à s'installer, plus vite elle pourrait rentrer chez elle. L'aperçu qu'elle avait eu de sa vie privée la perturbait. C'était tellement plus facile de l'imaginer rentrant le soir dans un appartement stérile de célibataire endurci, plutôt qu'ici, dans cette pièce chaleureuse, confortable…

Accueillante.

« Accueillant » et « Larry Mackenzie » ?

Jamais il ne lui serait venu à l'esprit d'associer ces deux mots, avant ce soir ! Signe qu'elle devait vraiment partir au plus vite.

Ils portèrent l'immense carton à l'étage et l'installèrent dans la chambre d'amis. Encore une fois, la pièce ne correspondait pas du tout à l'image qu'elle avait de Larry.

Le lit double était recouvert d'une couette en patchwork, et de vieilles photos de famille ornaient les murs.

Il avait même accroché un abécédaire brodé au-dessus du lit !

Mia aurait aimé avoir l'occasion de se pencher sur les photos. Pourquoi ? se demanda-t-elle, de plus en plus inquiète. Soit, sa maison était plus chaleureuse qu'elle ne l'aurait cru, mais cela ne changeait absolument rien au fait que Larry était l'un des êtres les plus énervants qu'elle ait jamais rencontré !

— Bon, je te laisse faire. Je ferais bien de retourner auprès de la petite, dit-elle précipitamment.

Pendant qu'il assemblait le berceau, elle libéra Katie du siège et la prit sur ses genoux.

— J'adore tes cheveux, ma puce, murmura-t-elle en jouant avec une parfaite petite anglaise. Les hommes ont un faible pour les rousses, tu sais.

— Ils aiment les blondes, aussi.

Mia releva la tête dans un sursaut. Mac se tenait de nouveau dans l'encadrement de la porte.

Cet homme se déplaçait comme un chat !

— Que fais-tu là ? demanda-t-elle, ignorant son commentaire.

— J'allais chercher des outils, et je t'ai entendue. Il ne faut pas mentir aux bébés. Certains d'entre nous préfèrent les blondes.

— Je…

Mia ne savait que répondre. S'il avait été n'importe qui d'autre au monde, elle aurait pensé qu'il flirtait. Mais Mac ne l'appréciait pas, et c'était réciproque. Ce n'était donc pas un compliment !

Si ?

— Cesse de traîner, et cours finir son berceau, dit-elle d'un ton pincé. Il est presque 21 heures, je dois rentrer chez moi et il devient urgent de mettre ce bébé au lit.

Mac jeta un œil à sa montre, comme s'il ne pensait pas qu'elle fût capable de lire l'heure.

— Je n'arrive pas à croire qu'il est déjà si tard, dit-il.

Il traversa la pièce et entra dans la cuisine. Puis elle entendit le bruit d'une porte qui s'ouvrait, et ses pas dans l'escalier.

— Que penses-tu de lui ? demanda-t-elle à Katie.

Pour toute réponse, Katie se raidit sur ses genoux.

— Oh, tu voudrais te lever ?

Elle la soutint sous les aisselles, et Katie poussa sur ses petites jambes potelées.

— Tu vas bientôt courir partout ! Je me demande si tu sais déjà marcher à quatre pattes ? Je suis sûre que nous avons acheté une couverture…

De sa main libre, elle fourragea dans l'un des sacs posés à ses pieds, en sortit la couverture et l'étala tant bien que mal sur le sol. Puis elle y installa Katie, et posa quelques jouets hors de sa portée. En quelques secondes, la petite s'était déplacée pour s'en emparer.

— Ça alors, tu es bien dégourdie ! dit-elle en riant, juste au moment où Mac entrait dans la pièce. Elle marche à quatre pattes ! lui dit-elle.

— Ah oui ?

Il s'accroupit à côté de Mia, la frôlant au passage.

— Oui, regarde.

Joignant le geste à la parole, elle déplaça un des jouets un peu plus loin, et Katie se mit immédiatement en route.

Ils regardèrent l'enfant un moment. Mac avait nonchalamment posé son bras sur l'épaule de Mia, comme pour éviter de perdre l'équilibre. Elle risqua un regard dans sa direction ; les yeux rivés sur la petite, il souriait.

Ils partageaient un moment particulier… presque intime.

Cette pensée la secoua profondément. Elle se dégagea précipitamment et prit l'enfant dans ses bras.

Puis elle fronça le nez.

— As-tu déjà changé une couche ? s'enquit-elle.

Mac serra la boîte à outils contre lui comme un bouclier.

— Non, mais… vas-y, toi. Je dois vite finir son lit pour que tu puisses récupérer ta voiture.

— Ah non, monsieur ! Je suis censée vous aider à vous installer, c'est tout… Que feras-tu lorsque je serai partie, hein ? Nul besoin d'être une experte pour savoir qu'un bébé à besoin d'être changé. Souvent.

On eût dit qu'elle venait de lui annoncer qu'il serait fusillé à l'aube ! Mia ne put contenir un petit rire.

— Allez, viens, tu dois apprendre.

— Je vais juste regarder comment tu fais. Je m'entraînerai plus tard.

— Non, je regarde, et tu t'entraînes. Tout de suite.

— Mais euh…

— Pose cette boîte à outils et viens ici, dit-elle d'un ton qu'elle voulait sans appel.

Mac obéit, mais visiblement à contrecœur.

Lentement, il s'assit à côté d'elle sur le sol et observa Katie comme si elle était un animal enragé.

Mia sortit une couche et une boîte de lingettes du sac.

— Commence par cela, dit-elle en lui tendant les lingettes.

— Je traite des problèmes légaux complexes ; je rassure des clients affolés tous les jours. Je peux apprendre à langer un bébé, dit-il comme pour s'en convaincre.

Tandis qu'il changeait la couche de Katie avec tout le sérieux d'un avocat plaidant à la cour, Mia se retint de rire plusieurs fois.

— Et maintenant, il faut la refermer avec ces petites bandes adhésives, dit-elle lorsqu'il eut presque terminé.

— Ce n'est pas de la bande adhésive, mais du Velcro. Et voilà ! Un bébé langé et content, un ! dit-il avec une fierté non dissimulée.

— Velcro ? s'étonna Mia. De mon temps, on appelait cela de la bande adhésive… Ecoute-moi parler de mon époque ! se reprit-elle. C'est malin, je me sens vieille maintenant.

Mac eut un petit rire incrédule.

— Tu n'es pas vieille !

— Je n'ai pas dit que je l'étais, Larry, rétorqua-t-elle avec un sourire malicieux. J'ai dit que je me *sentais* vieille. Toi, en revanche…

— Trente ans n'est pas ce que j'appellerais un âge canonique !

Mia posa sa main sur sa poitrine avec ostentation.

— Trente ans ! Mon Dieu, mon Dieu… Mais tu es un vieillard ! sourit-elle.

— Et quel âge as-tu, toi ?

— Vingt-sept ans.

Presque trentenaire… et enfin capable de commencer sa vie. Elle allait réaliser tous ses rêves, quels qu'ils soient. Au moins était-elle libre d'essayer !

— Je vois… Et les trois ans qui nous séparent font une énorme différence, je suppose ? la taquina-t-il.

— Oui, immense ! répondit-elle en riant de bon cœur.

Prenant l'enfant dans ses bras, Mac fit mine de lui confier un secret.

— Cette femme est folle... mais tu l'avais déjà deviné, n'est-ce pas ? Bien sûr... Je vois bien que tu es une petite fille très intelligente, Katie.

Katie gazouilla une réponse incompréhensible.

— Elle dit que les filles se serrent les coudes, et que c'est toi le fou, intervint Mia. Mais nous sommes également d'accord pour annoncer officiellement que tu sais changer une couche.

— Merci de ton aide. Après ça, je me sens capable d'affronter tout le reste sans problème.

Katie poussa un petit gémissement et Mia lui tendit instinctivement les bras. Mac la lui remit sans hésitation.

— Pourrais-tu me passer sa tétine ? demanda-t-elle tout en berçant l'enfant.

Mac la décrocha du siège-auto et la tendit à Mia. Leurs mains se frôlèrent.

Le contact n'avait duré qu'une fraction de seconde, elle n'aurait même pas dû le remarquer ! Seulement...

Toucher Mac n'était jamais anodin. Elle remarquait chaque petit détail chez lui...

La plupart de ces détails étaient agaçants, se dit-elle pour se rassurer.

Mais son contact ne l'était pas, rétorqua une petite voix dans sa tête.

Cherchant à chasser cette pensée, elle attacha la tétine au pyjama de Katie. Il lui fallait trouver quelque chose à dire pour cacher son trouble. Et vite.

— Tu sais, je suis certaine que l'inventeur de la pince pour tétine n'était ni un père ni une mère, mais une grande sœur qui en avait assez de les chercher partout !

— Quel écart d'âge as-tu avec tes frères ?

— Marty a trois ans de moins que moi, et Ryan cinq. Il vient de finir ses études, et je suis ravie pour lui.

Elle faillit ajouter qu'elle était également ravie pour elle-même mais se ravisa. Comment une remarque anodine sur les tétines avait-elle pu les mener sur un terrain aussi personnel ?

— Mac… Si tu finissais de monter le berceau ? Je vais vraiment devoir rentrer à la maison…

L'heure du dîner était passée depuis longtemps et elle n'avait pas eu le temps de déjeuner. Elle mourait de faim.

— Très bien.

Lorsqu'il fut sorti, Mia se sentit soulagée. Tout d'abord, elle avait réagi étrangement à son contact, et voilà qu'ils avaient des conversations presque… personnelles.

Papoter avec Larry… mais qu'est-ce qui lui avait pris ? Le manque de sucre, certainement.

Il était grand temps de rentrer.

Amelia l'avait appelé Mac ! Il était presque sûr qu'elle ne l'avait pas fait exprès ; peut-être même ne s'en était-elle pas aperçue…

Il avait presque terminé. Penché sur le berceau, il repensa aux choses qu'il avait apprises sur Amelia en une seule journée ; là où d'ordinaire, il ne voyait qu'une enquiquineuse, il avait entrevu une personne merveilleuse…

Il l'avait regardée agir avec Katie. Elle était d'une tendresse incroyable.

Tendant l'oreille, il l'entendit chantonner.

Si on lui avait dit ce matin que non seulement Amelia Gallagher accepterait de l'aider, mais qu'en plus elle serait ce soir dans son salon, chantant une berceuse à un bébé, il aurait éclaté de rire, songea-t-il.

Il mit le matelas en place puis descendit la rejoindre. Elle donnait le biberon à Katie.

— Le berceau est monté, et je crois que je peux me débrouiller pour tout le reste, annonça-t-il. Si tu es prête, je peux te ramener à ta voiture.

— Nous pourrons partir dès que j'aurai fini de nourrir Katie, répondit-elle sans quitter le bébé des yeux.

Mac s'assit en face d'elle.

— Amelia ?

— Mia, corrigea-t-elle.

— Mia ?

— Oui, on m'a appelée Amelia bien trop longtemps. J'ai décidé de redevenir Mia.

— Mia, dit-il en l'observant. Cela te va bien.

Il aurait pu ignorer sa requête, et se venger de toutes les fois où elle l'avait appelé Larry... Mais à voir l'expression de son visage, ce changement de nom avait une grande importance pour elle.

— Mia, reprit-il, je voulais juste te remercier pour ton aide. Je...

— Ne t'en fais pas. Disons juste que tu me dois un service, et que le jour venu, je te le rappellerai.

Mac rit de bon cœur.

— J'en suis certain !

Mia se concentra de nouveau sur l'enfant ; confortablement adossé au fauteuil, Mac la regarda nourrir Katie.

C'était un bien joli spectacle, songea-t-il. S'il avait rencontré cette jeune femme dans une soirée, il aurait tout fait pour avoir son numéro de téléphone. Il l'aurait appelée, fréquentée quelque temps, puis aurait rompu avant que la relation ne devienne trop sérieuse.

Tout comme le rôle de père, Mac était certain que la vie de couple n'était pas son fort. C'était trop de complications... Depuis longtemps déjà, il avait décidé de ne compter que sur lui-même.

Mia Gallagher l'attirait, c'était indéniable. Mais elle travaillait avec lui, et pour une raison qui lui échappait, elle ne l'aimait pas. Deux bonnes raisons pour tuer cette attirance physique dans l'œuf, songea-t-il.

Dans un autre contexte, peut-être…

— Mac, tu m'entends ? Je pense qu'elle a fini.

Mia tenait le bébé contre son épaule et lui tapotait le dos.

— Je suis prête, insista-t-elle.

— Ah… oui, bien sûr.

Mia posa l'enfant dans le siège auto puis entreprit d'enfiler ses nombreux pulls les uns par-dessus les autres.

— Pourquoi ne t'achètes-tu pas un manteau plus chaud ? Tu as l'air d'un placard ambulant, dit-il.

— Depuis quand ma façon de m'habiller te concerne-t-elle, Larry ?

Larry. Il l'avait énervée… encore.

— Ce n'est pas ce que je voulais dire… Même avec tous ces vêtements, tu as encore l'air frigorifié.

— Si tu tiens à le savoir, je songeais justement à m'en acheter un aujourd'hui.

— Mais c'est bientôt la fin de l'hiver !

— Ah, vraiment ? rétorqua-t-elle d'un ton moqueur.

Ouvrant la porte d'entrée, Mac se trouva nez à nez avec un mur. Un mur blanc. La tempête de neige. Il ne pouvait même pas voir la balustrade de son propre porche ! Hors de question de sortir Katie par ce temps, pensa-t-il. Et même sans bébé, il eût été inconscient de conduire dans ce blizzard.

— Il semblerait que tu aies raison, dit-il à Mia. L'hiver ne veut pas s'éteindre sans un bouquet final. J'ai bien peur que tu sois coincée ici pour la nuit.

3.

J'ai bien peur que tu sois coincée ici pour la nuit.

Mia avait bel et bien entendu Mac prononcer ces mots ; mais elle refusait tout simplement d'y croire.

— Oh, ça ne doit pas être si méchant, dit-elle en se penchant légèrement au-dehors.

Ses espoirs furent de courte durée. Elle fut accueillie par des bourrasques de neige d'une telle force qu'elle rentra précipitamment.

— Oh, dit-elle.

— C'est le mot juste.

Mac avait l'air aussi ennuyé qu'elle.

— Mais je ne peux pas rester ici !

Elle voulait rentrer chez elle, dans son confortable et rassurant petit cocon ; elle voulait se réfugier sous sa couette avec un bon livre.

Et surtout, elle voulait laisser Larry Mackenzie et son charme troublant derrière elle !

— S'il ne s'agissait que de nous deux, dit-il, je prendrais le risque de te ramener à la maison. Mais veux-tu vraiment que Katie affronte *ça* ?

— Non, bien sûr, dit-elle en refermant la porte, vaincue.

Elle était prise au piège.

Pourtant, plus que tout, Mia désirait rentrer chez elle pour oublier ce qu'elle avait entrevu de la personnalité de Larry Mackenzie. Elle aurait d'ailleurs préféré ne rien apprendre sur lui ! Se chamailler avec Mac était tellement plus simple que ce sentiment de…

Elle n'aurait pas su lui donner un nom, mais c'était un sentiment doux. Chaleureux et…

Ah non ! se reprit-elle. Il était hors de question d'éprouver quelque sentiment que ce soit pour Larry, pas même… tiède !

Mia sentit ses joues s'enflammer. Elle serait aussi froide avec Mac que la tempête qui sévissait au-dehors, décida-t-elle pour se rassurer.

Elle prit soudain conscience que Mac lui parlait.

— … et j'ai installé le berceau dans la chambre d'amis mais le lit y est toujours. Je vais dormir avec elle, et tu pourras prendre mon lit.

Dormir dans le lit de Mac ? S'envelopper dans les draps qui recouvraient son corps toutes les nuits ? La jeune femme sentit une vague de chaleur l'envahir.

C'était bien trop intime.

Bien trop troublant.

Elle ne pouvait pas !

— Merci, mais je vais dormir avec Katie, balbutia-t-elle précipitamment.

Mac semblait surpris.

— Enfin, tu serais bien plus à l'aise dans…

— … la chambre de Katie, finit-elle. Ce n'est pas la peine d'en discuter, ma décision est prise.

Il ouvrit la bouche comme pour protester, puis sembla se raviser.

— Comme tu voudras, dit-il en haussant les épaules. Et si je nous cuisinais quelque chose ? J'ai l'estomac dans les talons, pas toi ?

— C'est vrai que j'ai très faim, admit-elle avec précaution. Mais peut-être préfères-tu que je m'en occupe ?

— Douterais-tu de mes talents de cuisinier ? rétorqua-t-il, une note de défi dans la voix.

— Pas vraiment… Disons plutôt que j'ai trop faim pour prendre le moindre risque, dit-elle avec malice.

— Poule mouillée…

— Oui, peut-être bien.

— Fais-moi un peu confiance !

— Ai-je le choix ?

Mac pouvait entendre Amelia — non, Mia — marmonner quelque chose à Katie. Mieux valait ne pas entendre ce qu'elle disait, pensa-t-il. Car au ton de sa voix, il devinait que cela le concernait… et que c'était tout sauf un compliment.

Il eut un petit rire. Ses joutes oratoires avec Mia le stimulaient toujours.

Mia.

Quelle que soit la raison de ce changement, son nouveau prénom lui allait à merveille.

Il fallait à présent trouver un menu qui la satisfasse… Mieux : qui l'impressionne.

Malheureusement, il n'était pas si doué que cela en cuisine. Son plat serait mangeable, assurément, mais de là à être impressionnant…

Il ouvrit le réfrigérateur et fixa intensément son contenu, espérant que l'inspiration viendrait comme par magie.

Des œufs, du fromage…

Mais jamais une omelette au fromage n'impressionnerait suffisamment Mia.

Ah, il lui restait du pain italien ! Ravi, Mac le beurra, le badigeonna d'ail, puis le couvrit de fromage et le mit au four avant de s'attaquer à l'omelette.

Tout en battant les œufs, il prit soudain conscience qu'il avait non seulement une femme, mais aussi un bébé dans son salon.

Quelle journée ! En quittant sa maison le matin même, il ne s'attendait vraiment pas à autant de surprises...

Il lui faudrait commencer à chercher une famille pour Katie dès lundi. Une *vraie* famille, pensa-t-il, battant les œufs un peu plus fort. Des parents qui l'aimeraient quoi qu'il arrive.

Et qui ne partiraient jamais.

Il était hors de question de la confier à une de ces agences qui exigent la confidentialité ! Mac voulait participer au processus, rencontrer les futurs parents... Il ne la confierait pas à n'importe qui.

Il choisirait également une famille suffisamment aisée pour subvenir correctement aux besoins de Katie. Peut-être Marion avait-elle une assurance-vie ?

Il vérifierait, et en profiterait pour répertorier les biens de Katie, décida-t-il.

Et s'il lui ouvrait un compte-épargne ? Il n'avait personne pour qui dépenser son argent de toute façon !

Content de son idée, Mac versa la mixture dans la poêle.

Katie n'aurait jamais à travailler pendant ses études, comme il l'avait fait. Des fonds bloqués l'attendraient à sa majorité.

Lorsque Marion O'Keefe l'avait appelé à l'aide, Mac s'était surpris à accepter. Il n'avait rencontré cette femme que deux fois après tout ! Pourtant, il se sentait lié à elle.

Peut-être s'était-il reconnu en Marion O'Keefe ? Lui aussi était seul au monde.

Et, à présent, il avait la charge de sa fille.

Katie O'Keefe ne serait jamais seule, se promit-il. Il lui trouverait les meilleurs parents au monde ! Ils auraient du temps à lui consacrer et s'émerveilleraient de chacun de ses progrès.

Il le ferait pour Marion O'Keefe, et pour Katie.

Et pour être parfaitement honnête, un peu pour lui aussi.

Les Zumigalas l'avaient recueilli lorsqu'il avait le plus besoin de soutien. En aidant Katie, il aurait l'impression de rembourser sa dette.

Mia entra soudain dans la cuisine, le tirant de ses pensées.

— Mais dis-moi, Larry, ça ne sent pas si mauvais que je l'aurais craint !

— J'espère que tu aimes l'omelette au fromage ? Je mourais de faim, alors j'ai pensé qu'il nous fallait quelque chose de rapide à préparer...

— C'est parfait, dit-elle d'un ton aimable.

Oh oh. Habituellement, Amelia Gallagher n'était *jamais* aimable avec lui ! Si elle ne l'avait pas appelé Larry, cette gentillesse inattendue l'aurait troublé, songea-t-il. Après tout, il se retrouvait coincé pour la nuit, seul chez lui avec cette belle jeune femme...

— J'ai une bouteille de vin au frigo, si tu en veux, dit-il pour reprendre contenance.

— Avec plaisir. Où sont les verres ?

— Dans le placard, au-dessus de l'évier.

Sur la pointe des pieds, Mia s'étira pour les attraper. Son chemisier se souleva, révélant quelques centimètres de peau laiteuse. Mac voulut détourner le regard, mais...

Enfin, ce n'était qu'un peu de peau ! On en voyait beaucoup plus dans la rue, de nos jours. Pourtant, entrevoir le dos de Mia déclenchait chez lui une sensation bien connue...

Du désir ?

Non, désirer Mia était impossible.

Et complètement absurde.

Ils faisaient juste une trêve pour le bien de Katie, Mac ne devait pas l'oublier. Une fois la tempête passée, chacun reprendrait sa place… Alors pourquoi fixait-il cette petite parcelle de peau, en se demandant si elle était aussi douce qu'elle en avait l'air ?

— Et voilà ! dit-elle en servant deux verres de vin.

Leurs doigts se frôlèrent lorsqu'elle lui tendit le sien. Un contact parfaitement anodin, se dit Mac. Mais la sensation était tout de même réapparue au creux de son estomac.

Etant donné que cela ne pouvait absolument pas être du désir, il souffrait tout simplement d'un ulcère.

Oui, c'était sûrement cela. Amelia Gallagher avait fini par lui donner un ulcère. Par ses piques incessantes, elle avait probablement aussi contribué à faire monter sa tension, ce qui expliquait pourquoi la tête lui tournait soudain…

— J'ai mis Katie dans son berceau, disait-elle à présent. Elle tombait littéralement de sommeil.

Son vertige fut immédiatement remplacé par une montée de panique.

La chambre d'amis lui parut soudain à des kilomètres. Et si Katie pleurait ? Et si elle se retournait dans son lit et s'étouffait ?

Et si elle se coinçait dans les barreaux du berceau ?

Et si…

Mia parut deviner ses pensées.

— Elle dort profondément. Elle va très bien.

— As-tu allumé le moniteur ? s'enquit-il.

Peut-être devrait-il aller vérifier tout de suite…

Mia éclata de rire.

— Oui, tout va bien. J'ai placé le récepteur sur la table.

Mac poussa un soupir de soulagement. Il n'avait pas remarqué qu'elle l'avait à la main en entrant. Comme toujours lorsque Mia entrait dans une pièce, il n'avait vu qu'elle.

Oh, ce n'était pas par romantisme, non ! Mais il était toujours conscient de sa présence, comme une démangeaison que l'on n'arrive pas à gratter et qui vous rend fou, tout doucement.

Oui, c'était une description parfaite de Mia. Elle le rendait fou.

— Le volume est-il assez fort ? Es-tu sûre qu'on peut l'entendre ?

— Je l'ai mis au maximum, dit-elle, portant le récepteur à son oreille. On peut même l'entendre respirer si on écoute attentivement.

— Ah. Bien.

Le bébé respirait. Il pouvait se concentrer sur…

L'omelette. Surtout, surtout, ne pas se focaliser sur Mia, seule avec lui en pleine nuit…

Mais tous leurs sujets de conversation semblaient épuisés à présent que Katie dormait.

Mia s'était assise à la table de la cuisine tandis qu'il finissait l'omelette. Il risqua un regard dans la direction de la jeune femme… Elle sirotait son vin, visiblement à l'aise chez lui. Un léger sourire étirait ses lèvres pleines. A quoi songeait-elle ? Il n'osa pas le lui demander. D'ailleurs, il s'en fichait !

— Sais-tu à quoi je pense ?

Cette femme était effrayante.

— Hmm ? fit-il d'un ton détaché.

— Je me rappelais mon enfance. Nous avons eu une tempête comme celle-ci, lors d'un réveillon de Noël. C'était horrible, personne ne pouvait bouger, les magasins étaient tous fermés. C'était le mauvais côté de la soirée…

Elle se tut un moment.

— Mais il y avait un bon côté ? s'enquit Mac, n'y tenant plus.

— Oh oui ! Ma mère devait travailler cette nuit-là. On lui payait des heures supplémentaires, et elle avait trop besoin d'argent pour refuser. Mais la tempête avait tout bloqué, et elle n'a pas pu sortir. Nous avons perdu l'argent, mais ce que nous avons gagné en retour était bien plus précieux. Une soirée tous ensemble, isolés par la neige… C'était comme si nous étions seuls au monde. Nous avons joué à des jeux de société toute la soirée.

Elle souriait, les yeux dans le vague.

Mac ne le lui aurait avoué pour rien au monde, mais ce spectacle était hypnotisant. Pendu à ses lèvres, il se sentait happé par le souvenir de la jeune femme.

— Ryan était encore tout petit, reprit-elle. Nous avons fait du chocolat chaud et nous nous sommes endormis dans le salon. Le matin de Noël, maman et moi sommes restées blotties sous les couvertures pendant que les garçons ouvraient leurs cadeaux. Il n'y en avait pas beaucoup, mais ils étaient ravis ! Nous étions tous si heureux… Cette situation me rappelle ma maison.

— Etre coincée avec moi te fait penser à ton foyer ? s'enquit-il, incrédule.

Ces mots la sortirent en sursaut de sa rêverie.

— Pas toi, dit-elle précipitamment. La neige. J'ai parlé de la tempête, c'est tout. J'aime les tempêtes, tant que je suis confortablement installée au chaud. Cela me rappelle un des plus beaux soirs de ma vie.

— Eh bien, je suis content que cela ne vienne pas de moi.

Cette sensation au creux de son estomac ne pouvait être que du soulagement, décida-t-il. Si Mia avait associé sa compagnie à l'idée de foyer, il l'aurait crue folle à lier.

— Je serais bonne pour l'asile si tu déclenchais chez moi des souvenirs chaleureux et tendres de mon foyer, acquiesça-t-elle sans le savoir.

— Oh, mais tu es une recrue parfaite pour l'asile ! la taquina-t-il.

Mia n'avait pas dû comprendre qu'il plaisantait ; elle le fusilla du regard.

— Peu importe. Je suis désolée de t'avoir raconté ce souvenir, *Larry*.

Mac aurait dû la détromper, mais pour être honnête, il la préférait énervée.

En fait… il était ravi qu'elle l'ait appelé Larry. Elle avait parlé sur ce ton particulier qui lui faisait grincer les dents… Et tant mieux, songea-t-il, car pendant qu'elle racontait son histoire, il s'était presque attendri. Et c'était une très mauvaise idée.

L'agacer était assurément un meilleur choix.

Mais tandis qu'il sortait le pain à l'ail du four et servait l'omelette, il remarqua la posture rigide, et l'air renfrogné de Mia. S'il n'aimait pas se sentir proche d'elle, il n'aimait pas non plus la contrarier. Voilà qui était nouveau !

Il servit les assiettes et les posa sur la table.

— Merci, dit-elle seulement.

Un mot, puis plus rien. Mac prit conscience que cela le mettait mal à l'aise ; il était bien plus facile de se chamailler avec Mia que de supporter son silence.

Katie renifla dans le baby-phone.

— Nous devrions peut-être aller vérifier qu'elle va bien ? s'enquit-il.

— C'est inutile.

Deux mots.

Il progressait…

— Dis-m'en plus sur ta famille.

— Non, ça suffit.

Trois mots, mais qui ne présageaient rien de bon. Elle était vraiment en colère.

Mia était souvent furieuse en sa présence, mais pour une raison qui lui échappait, tout était différent cette fois. Il n'aurait jamais dû plaisanter sur son souvenir d'enfance.

— Ecoute, je suis désolé.

Mia haussa les épaules.

— J'ai moi aussi une histoire de tempête à raconter si tu veux…

Elle ne répondit rien, mais elle leva les yeux de son assiette, et Mac l'interpréta comme une invitation à continuer.

— J'ai grandi dans la banlieue de Pittsburgh. C'est loin d'être aussi froid qu'ici, la neige est plus rare…

Mia prit une autre bouchée d'omelette. Elle ne grimaçait pas en la mangeant, elle devait donc l'apprécier.

Dommage qu'elle ne semble pas l'apprécier, lui.

— Lorsque j'étais adolescent, notre lycée a fermé quelques jours à cause d'une tempête de neige. Maintenant que j'habite Erie, je m'étonne que quelques centimètres de poudreuse aient bloqué notre petite ville de banlieue ; il en faut bien plus que cela aux habitants d'ici pour rester chez eux ! Chet et moi avons décidé de faire de la luge…

— Chet ?

Mac hésita quelques secondes.

— Un… ami.

Il ne savait jamais comment décrire Chet et ses parents. Ils étaient bien plus que des amis ! Presque de la famille. Mais c'était bien trop compliqué à expliquer. « Ami » faisait donc généralement l'affaire.

— Nous n'avions pas de luge, reprit-il. Nous trouvions que c'était un jeu de gamin. Et pourtant, ce jour-là, nous en avions très envie.

51

— Alors qu'avez-vous fait ?

— Nous avons « emprunté » un vieux matelas entreposé dans son garage et avons choisi une pente bien raide. Pittsburgh n'est peut-être pas la capitale de la neige, mais nous ne manquons pas de collines ! Malheureusement, un matelas ne glisse pas aussi bien qu'une luge. Alors Chet et moi l'avons recouvert de sacs-poubelle et de chatterton. Deux rouleaux plus tard, le matelas était entièrement recouvert de plastique. Nous nous sommes installés dessus pour dévaler la pente.

Mac sourit à ce souvenir.

— Vous avez dû bien vous amuser, dit-elle avec précaution.

Elle lui adressait de nouveau la parole. Il lui sembla même voir un petit sourire jouer sur ses lèvres. Peut-être lui avait-elle pardonné…

— Oh oui, c'était très amusant, acquiesça-t-il. Nous avons recommencé jusqu'à ce que le chatterton commence à se décoller. Mais nous ne voulions pas nous arrêter sans une dernière descente. On a donc porté le matelas à l'endroit le plus pentu de la colline… sans vérifier quelle trajectoire nous prendrions.

— Oh oh.

Mia devait avoir deviné la suite, car elle pouffa de rire.

— Oui, tu peux le dire… Vois-tu, il y avait au pied de la colline un énorme chêne et… Boum.

— Vous ne vous êtes pas fait trop mal ?

— Je me suis cassé la cheville, et Chet s'en est sorti avec une fracture du nez. Il a encore la bosse ! Sa mère a essayé de le convaincre que cela lui donnait du caractère. Quant à moi, je l'appelais Mohamed Ali.

Mia se mit à rire.

Mac se sentit alors envahi par un sentiment de convivialité…

comme celui que Mia avait décrit un peu plus tôt. Il aurait dû le combattre ou l'ignorer…

Mais il se mit à rire avec elle et, pour la première fois depuis leur rencontre, ils discutèrent de tout et de rien, partageant souvenirs et anecdotes.

Quelle sensation étrange… Mac n'arrivait pas à l'identifier, et finit par renoncer à comprendre.

Ils s'entendaient bien, cela suffisait amplement.

Du moins pour l'instant.

4.

Mia se réveilla en sursaut.

Quelque chose n'allait pas. Quelqu'un respirait doucement à côté d'elle, visiblement endormi.

Quelqu'un respirait dans sa chambre ! Et comme elle dormait seule…

Pleine d'appréhension, elle ouvrit lentement les yeux.

Un berceau. Katie !

Un bébé, une tempête de neige, une omelette… tout lui revenait en tête, à présent.

Elle avait passé la nuit chez Mac.

Elle avait partagé son dîner, et ils avaient même ri et discuté en faisant la vaisselle.

Puis Katie s'était réveillée. Mia l'avait nourrie et remise au lit avant de se coucher dans la chambre d'amis de Mac. Elle portait même un de ses vieux T-shirts !

La jeune femme jeta un œil au réveil. Il était 7 heures, et Katie avait fait sa nuit.

Elle ferait mieux de se lever et de prendre une douche rapide avant que Katie ne se réveille, se dit-elle. Soulevant la couverture, elle glissa un pied hors du lit…

Et le rentra aussitôt. Quel froid ! Le chauffage avait dû tomber en panne dans la nuit.

Pourquoi ne pas rester au chaud dans son lit en attendant que Mac s'en occupe ? songea-t-elle.

Mais s'il dormait encore, cela pourrait prendre des heures avant que le problème ne soit résolu. Katie pourrait prendre froid…

Serrant les dents, elle sauta du lit et se hâta vers le berceau. Dans la pénombre, elle ne distinguait que la chevelure flamboyante de l'enfant.

Tout doucement, Mia toucha sa joue et fut soulagée de la trouver tiède, puis elle alla frapper à la porte de Mac en grelottant.

Aucune réponse. Mia ouvrit la porte.

— Mac ?

Toujours rien.

— Mac ! dit-elle plus fort.

Un énorme ronflement lui répondit.

Sachant qu'il devait absolument réchauffer la maison avant que sa tuyauterie ne gèle — sans parler de ses habitants — Mia entra dans la chambre et se dirigea vers le lit. Palpant au hasard dans le noir, elle trouva son épaule et la secoua.

Il était torse nu. Sa peau dégageait une douce chaleur.

Bon d'accord, admit-elle, il était attirant. Mais cela ne voulait pas dire qu'*elle* était attirée par lui. Oh non ! Toutes les femmes de la ville pouvaient se pâmer devant Larry MacKenzie, elle ne se laisserait pas tenter. Elle était trop sensée pour cela.

Hum… visiblement pas assez pour arrêter de le fixer et retourner au chaud !

— Mac, dit-elle enfin. Réveille-toi. Il n'y a plus de chauffage.

— Quoi ?

— Allez, Mac. Je suis inquiète pour le bébé.

Lui rappeler la présence de Katie dans la maison parut fonctionner ; Mac se dressa immédiatement sur son séant.

— Qu'est-ce qu'elle a ?

— Rien encore, mais il fait froid dans la maison. Anormalement froid. Tu dois relancer le chauffage, ou faire du feu... n'importe quoi.

Mac secoua la tête pour se réveiller, puis l'observa.

— Tu grelottes. Retourne au lit, je m'en occupe.

Mia savait qu'elle aurait dû protester, mais il faisait décidément trop froid.

— Merci, dit-elle simplement. Crie si tu as besoin de moi, lança-t-elle en courant se recoucher.

Elle voulait juste rentrer chez elle, à présent, songea-t-elle. Ou aller travailler... du moment qu'elle ne restait pas ici !

D'étranges rêves avaient hanté sa nuit, dans lesquels elle était en compagnie d'un homme qui ressemblait étonnement à Mac. Mais Mia était certaine qu'il ne s'agissait pas de lui. Car normalement, la présence de Mac dans un rêve le transformait automatiquement en *mauvais* rêve !

Et ceux de cette nuit n'avaient absolument rien de cauchemars...

Elle fut tirée de ses pensées par Katie, qui s'agitait dans son berceau. S'enveloppant dans sa couette, elle s'approcha.

— Bonjour, marmotte.

L'enfant gazouilla.

— Tu as vraiment bon caractère, tu sais ?

Mia se pencha et la souleva dans ses bras.

— Allons voir si Mac a allumé un feu, dit-elle. Nous changerons ta couche dès qu'il fera meilleur, puis je te ferai un biberon, d'accord ?

Elle emmitoufla Katie dans ses couvertures et descendit, sa couette traînant derrière elle. Mac avait lancé un bon feu de cheminée.

— Oh, tu es doué, s'exclama-t-elle en s'asseyant à même le sol, aussi près du feu que possible. Pour la peine, je vais même changer sa couche pour toi.

— Dans ce cas, je t'allumerai des feux de cheminée jusqu'en juillet !

— Ah, mais je ne serais plus là en juillet, très cher. Ni même cet après-midi.

Il était grand temps qu'elle rentre. Mais l'expression de Mac la rendit nerveuse.

— Je vais pouvoir m'en aller, n'est-ce pas ? le pressa-t-elle.

— As-tu regardé par la fenêtre ce matin ?

— Euh… non…, dit-elle avec hésitation, craignant la suite.

— Ah. Eh bien, te souviens-tu combien il neigeait hier soir ?

— Oui, bien sûr.

— C'est pire aujourd'hui. Bien pire. L'électricité du quartier est coupée, ce qui explique que nous n'ayons pas de chauffage. Heureusement, j'ai une chaudière à bois à la cave. Le chauffage électrique est bien plus pratique, mais par un temps comme celui-ci, je suis bien content de l'avoir ! Maintenant que le feu de cheminée est lancé, je vais aller mettre la chaudière en route. Tu t'occupes de Katie ?

— D'accord.

Lorsqu'il fut sorti, Mia prit conscience de la situation et soupira. Elle était prisonnière ici, avec Mac, jusqu'à nouvel ordre.

La nuit dernière avait été… étrange. Ils avaient partagé des souvenirs d'enfance, s'étaient occupés de Katie ensemble. Ils avaient même fait la vaisselle côté à côte, presque comme un couple.

Mais la dernière personne au monde avec laquelle elle voulait former un couple était bien Larry Mackenzie... Et voilà qu'elle était coincée ici avec lui !

Elle fit la grimace.

— C'est parfait, dit-elle à Katie. Tout simplement parfait.

L'enfant sourit. Le mauvais temps ne semblait pas la déranger...

— Je suis ravie pour toi, grommela-t-elle.

— Mac ?

Mia avait besoin de briser ce silence. Elle était enfermée dans sa maison, assise à côté de lui sur ce canapé parce qu'elle avait voulu l'aider. Au moins pouvait-il lui faire la conversation !

La journée avait passé lentement... Mia n'aurait su dire ce qui demandait le plus d'attention : une tempête de neige ou un bébé !

Avec une pelle et la souffleuse à neige, Mac avait tenté de dégager l'allée, mais à peine avait-il terminé que la neige recouvrait tout son travail.

En comparaison, s'occuper de Katie avait été facile, songea-t-elle. Elles étaient restées au chaud près du feu. Mia n'avait cessé de s'étonner des progrès de la petite. Non seulement elle marchait à quatre pattes, mais elle arrivait également à se tenir assise.

Bien sûr, elle ne tenait jamais très longtemps avant de tomber, mais Mia avait applaudi et encouragé l'enfant, qui semblait tout aussi impressionnée par ses nouveaux dons. Elle n'avait cessé de sourire et de babiller.

Tandis qu'elle l'observait, endormie dans les bras de Mac, Mia prit conscience qu'elle était sous le charme de Katie

O'Keefe. Ce sentiment chaleureux qui l'envahissait venait obligatoirement de l'enfant… pas de l'homme qui la berçait si tendrement.

Elle devait absolument se concentrer sur autre chose que cet attendrissant tableau.

La jeune femme essaya de lire, mais Mac semblait ne posséder que des polars juridiques ou de romans de science-fiction. Elle tenait à la main l'histoire d'un tueur en série, et n'arrivait tout simplement pas à se concentrer.

C'était sûrement pour cela qu'elle ne cessait de regarder Mac, songea-t-elle. Même lorsqu'il l'énervait, il restait plus intéressant que ses livres.

Et la façon dont il tenait Katie…

Non.

Ce n'était pas Mac qui la touchait ainsi. Elle n'arrivait tout simplement pas à entrer dans l'histoire, voilà tout ! Que ne donnerait-elle pas pour un bon roman d'amour… Mais Mac n'avait visiblement pas la fibre romantique. La ribambelle de femmes que Mia avait vues entrer et sortir de sa vie lui avait largement prouvé qu'il ne s'investirait jamais dans une relation sérieuse. Mais peut-être pourrait-il s'attacher à cette enfant…

— Mac, répéta-t-elle. Que vas-tu faire de Katie ? Tu vas tout simplement la laisser à quelqu'un d'autre ?

— Je ne vais pas la *laisser*, dit-il après un long moment. Je vais lui trouver une bonne famille. Les gens feront la queue pour l'adopter, de toute façon. Elle est parfaite.

— Es-tu sûr de ne pas vouloir la garder ? J'avais pensé que… maintenant que tu as passé du temps avec elle, tu aurais peut-être changé d'avis.

Et si Mac gardait Katie, elle pourrait lui rendre visite, songea-t-elle. Elle pourrait faire du baby-sitting, chaque fois qu'il en aurait besoin. Elle pourrait même…

— Je suis absolument certain de ne pas la garder. Je n'aurai pas d'enfant. Jamais.

La voix de Mac était dénuée d'émotion, comme si cette décision était prise de longue date. Evidente.

Son rêve de jouer les Mary Poppins pour Katie envolé, Mia se sentit soudain très triste.

— Quel dommage, dit-elle. Je t'ai observé avec elle, et tu ferais un très bon père.

— Ce qui prouve que tu ne sais rien de moi, dit-il sèchement.

Mia prit conscience qu'elle avait, sans le vouloir, ravivé une ancienne blessure et posa sa main sur celle de Mac. Elle l'avait fait pour le réconforter…

Mais toucher Mac n'avait rien de réconfortant pour *elle*. Un frisson la parcourut. Autant l'admettre, il était devenu bien plus qu'un collègue de travail qui lui tapait sur les nerfs ; elle ressentait quelque chose pour lui, au-delà de leurs taquineries et chamailleries incessantes…

Elle retira promptement sa main. Elle voulait retourner au cabinet et reprendre leur confortable routine parsemée de piques et de remarques acerbes. Mais ce temps-là était révolu…

— Tu ne vois que le sommet de l'iceberg, dit Mac. Tu ne m'as vu avec Katie qu'hier et aujourd'hui. Deux jours, ce n'est rien ! C'est toute sa vie qui est en jeu ; elle mérite plus que ce qu'elle obtiendrait de moi.

— Tu ne crois pas que tu aurais toujours la même affection pour elle, le même souci de son bien-être ?

— Je sais que non.

— Dieu sait combien je déteste te faire des compliments, mais je ne suis pas d'accord avec toi. J'ai découvert un autre côté de ta personnalité… Un côté que tu tentes de cacher. Et je ne parle pas uniquement de ce week-end… Je parle du jour où tu as accepté d'être le tuteur d'un enfant à naître ;

60

l'enfant d'une femme que tu n'avais jamais vue. Et que fais-tu de tout ce temps passé bénévolement à aider des enfants ? Quand tu tiens Katie dans tes bras, tu ressens quelque chose, je le vois. Quelque chose de profond, et ce bébé ne pourrait pas demander mieux que cela : quelqu'un qui s'inquiète pour elle. Quelqu'un qui l'aime, tout simplement.

— Tu penses avec ton cœur, dit-il, une note de dérision dans la voix.

Ce ton ne manquait jamais d'énerver Mia au plus haut point... mais pas cette fois. Elle n'aurait su analyser ce qu'elle ressentait, mais elle n'était pas contrariée.

— En tant qu'avocat, poursuivit-il, je dois analyser chaque cas qui m'est présenté et construire une stratégie basée sur des faits. Je ne dois pas me cantonner aux dires de mon client, ni même à son innocence ou sa culpabilité. Et je ne peux surtout pas écouter ce que mon cœur me dit. Je dois tenir compte de la situation dans son ensemble.

— Et comptes-tu partager avec moi ton histoire... dans son ensemble ?

Il secoua la tête.

— Non. Il te suffit de savoir ceci : certains événements de mon passé m'ont amené à penser que je ne ferais pas un père très fiable. Il est connu qu'on reproduit l'éducation qu'on a reçue sur ses propres enfants, et je ne souhaiterais mon enfance à aucun bébé. J'ai donc décidé de ne jamais en avoir. Jamais. Et surtout pas Katie.

Mia avait très envie de protester. Quelles que fussent les erreurs commises par ses parents et les blessures qu'il en gardait, elle sentait bien que rien n'empêcherait Mac d'être un bon père !

En fait, ses épreuves feraient certainement de lui un père exceptionnel.

Mais à voir son expression butée, il ne la croirait jamais… il ne croyait déjà pas en lui-même !

Et elle qui pensait avoir entièrement cerné Mac ! Un avocat solide et débordant d'assurance ; un clown, qui adorait faire rire les autres ; un don Juan, sans cesse poursuivi par les femmes, mais jamais conquis.

Comme elle s'était trompée ! Mac était bien plus que cela. Mia pourrait essayer de lui décrire les qualités qu'elle percevait en lui, mais jamais il ne l'écouterait… Ils n'étaient que collègues, après tout.

— Très bien, dit-elle.

Mac parut surpris.

— Comment ? Tu ne vas pas essayer de me convaincre que tu as raison ?

— Si un jour, tu veux m'expliquer de quoi il retourne, je t'écouterai. C'est à cela que servent les amis.

— Et… c'est donc ce que nous sommes ? Des amis ?

Mia sourit.

— Aussi étrange que cela paraisse, je crois bien que oui, répondit-elle. Si tu m'avais dit cela la semaine dernière, je t'aurais ri au nez. Mais cela fait un moment que j'y songe… Il faut admettre que notre relation a changé.

— Il ne faut pas qu'elle change trop, dit-il d'un ton grave.

— Pardon ?

— Je suis sérieux. Amis ? Oui, je sais faire. Mais ne t'avise pas de tomber amoureuse de moi. Même si je cherchais une aventure, ce qui n'est pas le cas, ce ne serait pas avec toi. Tu n'es pas le genre de femme à se contenter d'une amourette, et c'est tout ce que j'ai à offrir. Sans compter que nous nous étriperions. Alors arrête de me regarder avec des étoiles plein les yeux. Je ne suis pas l'homme de ta vie.

Mia tenta de se retenir. Après tout, l'ego des hommes était si fragile… Elle fit tout ce qu'elle put pour se maîtriser. Mais c'était plus fort qu'elle.

Son éclat de rire fut court, mais suffisamment fort pour faire sursauter le bébé endormi dans les bras de Mac.

Mia essaya bien de se calmer… Son fou rire s'amplifiait de seconde en seconde, et elle ne tint pas longtemps. Ses épaules sursautèrent plusieurs fois dans un silence pesant, puis le rire lui monta dans la gorge et lui échappa, clair et cristallin, tant et si bien que des larmes lui coulèrent sur les joues.

— Quoi ? dit-il, visiblement décontenancé.

Le trouble de Mac eut pour seul effet de la faire rire plus fort encore.

— Une telle arrogance…

Elle s'interrompit et inspira profondément. Il fallait qu'elle se calme.

— Ecoute, Larry, poursuivit-elle, je viens de découvrir que je t'aime bien, ce qui est déjà un miracle. Mais tomber *amoureuse* de toi ?

Cette seule pensée la fit rire de plus belle.

— Arrête, ce n'est pas si ridicule que cela, dit-il, l'air vexé.

— Mais si ! Toi et moi ? Un couple ? *Amoureux* ? Enfin, les collègues du cabinet ne se remettraient jamais du choc ! Je l'admets, tu es plus intéressant que je ne l'imaginais, et je suis suffisamment adulte pour admettre m'être trompée sur ton compte. Je crois sincèrement que tu ferais un merveilleux père pour Katie. Mais un petit ami ? Un amant ? Larry, tu es le pire des candidats en amour… J'attends un prince, pas une limace !

— Un crapaud.

— Pardon ?

— Pour que l'analogie soit correcte, tu devrais me comparer à un crapaud, puisque tu cherches un prince.

Bon sang, était-ce bien le moment de faire de la littérature ? songea-t-elle, agacée.

— Peu importe l'image ! Quoi qu'il en soit, tu laisses une traînée de femmes en pleurs derrière toi. Arrêtons là cette discussion. Bien que notre relation ait légèrement changé, mettons-nous d'accord tout de suite : elle n'a pas assez évolué pour que je puisse envisager une seule seconde de sortir avec toi.

— Je suis tout à fait d'accord.

Katie bâilla et s'étira. Puis elle se mit à cligner des yeux.

Sauvés par l'enfant, songea Mia, soulagée. Parler de relations amoureuses avec Larry était trop lui demander.

— Le chasse-neige vient de passer, dit Mac. S'ils sont arrivés jusqu'ici, les rues principales sont certainement dégagées.

— Je peux rentrer à la maison ? s'enquit Mia, un large sourire aux lèvres.

Mac se sentit légèrement vexé. Avait-elle vraiment besoin de sauter de joie à l'idée de le quitter ?

A bien y réfléchir, ce n'était pas son air réjoui qui l'agaçait. Il était de mauvaise humeur depuis le fou rire dont elle avait été victime quelques heures plus tôt.

Il ne voulait pas qu'elle tombe amoureuse de lui.

Mia, amoureuse de lui ?

Dieu l'en préserve !

Mais tout de même, qu'elle ait éclaté de rire à cette pensée était presque insultant.

Beaucoup de femmes le trouvaient séduisant. Il était même considéré comme un bon parti ! Il avait réussi sa carrière, était ambitieux, et se lavait régulièrement les dents. Mia pouvait trouver pire...

Mais elle méritait bien mieux, lui murmura une petite voix.

Cette pensée n'arrangea rien à son humeur.

— Il a cessé de neiger depuis presque deux heures. L'électricité est revenue, et j'ai dégagé la neige de l'allée. Oui, je pense qu'il est temps pour toi de partir.

Il était soulagé, décida-t-il. Passer vingt heures avec Mia... c'étaient vingt heures de trop !

— Parfait ! Je cours là-haut changer Katie avant qu'on ne l'emmitoufle pour le trajet.

Soulevant l'enfant dans ses bras en un geste fluide, elle se dirigea vers l'escalier d'un pas sautillant. On eût presque dit qu'elle dansait...

Elle n'avait pas de raison d'être si contente de partir ! songea-t-il.

Ce n'était pas comme s'ils s'étaient disputés. Tous deux s'étaient comportés de façon exemplaire ; leurs collègues du cabinet refuseraient certainement de croire que Mac et Mia pouvaient survivre à une journée entière passée ensemble.

Bien sûr, il y avait eu ce petit fou rire... Mais ce n'était pas une dispute. Il s'avérait simplement que tous deux tombaient d'accord sur leur incompatibilité d'humeur. Mac aurait simplement préféré qu'elle ne rie pas si fort.

Il n'avait rien dit de si ridicule après tout ! Il avait bel et bien remarqué les étoiles dans ses yeux lorsqu'il berçait Katie ; ne l'avait-elle pas observé en cachette, tout en prétendant lire son livre ?

Et puis, elle avait ri longtemps. Vraiment trop long-temps.

Non qu'il fût blessé, loin de là ! Il était *ravi* qu'elle ne tombe pas amoureuse de lui.

Chassant ces pensées désagréables, il se saisit de sa télécommande et démarra la voiture à distance, afin qu'elle soit chauffée lorsqu'il y installerait Katie.

— Nous somme prêtes, annonça Mia du haut de l'escalier. Cela ne me prendra qu'une minute pour l'installer dans son siège.

— Mais cela te prendra bien plus longtemps d'enfiler tous tes pulls, rétorqua-t-il. Je m'occupe de Katie.

Mia lui jeta un regard noir, comme ceux qu'il avait l'habitude de voir au cabinet : elle était énervée, contrariée.

Ils étaient revenus à la normalité.

Bonne nouvelle, songea-t-il. Il avait eu l'impression de vivre dans la quatrième dimension depuis qu'elle était entrée dans sa voiture, la veille !

— Viens, Katie. Voyons si je maîtrise enfin l'art d'emmitoufler un bébé pour l'hiver.

Il s'attela à la difficile tâche d'enfiler sa combinaison à l'enfant, tandis qu'elle gigotait copieusement, tout sourires.

Mia revêtait ses différents pulls ; il prit garde de l'ignorer, restant concentré sur Katie. Il ne voulait pas relancer la polémique du manteau...

Mais tout de même, elle en avait sacrément besoin !

Un vrai manteau d'hiver, confortable. Quelque chose de long, songea-t-il, pour que même ses jambes soient au chaud.

Comment une habitante de la ville d'Erie pouvait-elle se laisser surprendre ainsi par le froid ? Ne savait-elle pas qu'il y neigeait plusieurs mois par an ?

— Voilà, elle est prête, dit-il en enclenchant la ceinture de sécurité.

— Moi aussi.

Il leva les yeux. Elle avait l'air d'un bibendum, sous tous ces pulls !

— La voiture doit être assez chauffée maintenant.

— Mais ? Je ne t'ai pas entendu sortir...

— J'ai démarré la voiture avec une télécommande.

— Oh ! J'y pensais justement hier, s'écria-t-elle, le regard rêveur. Quand j'aurai une voiture neuve, je veux un démarreur à distance et des sièges chauffants. Peut-être même quatre roues motrices, ajouta-t-elle avec un petit soupir.

Mac espérait que son projet se réaliserait bientôt. La vieille guimbarde que conduisait Mia ne tiendrait plus longtemps par un temps pareil.

Il saisit le siège-auto et ouvrit la porte.

— Allons-y.

L'air glacial le saisit de plein fouet, et il se hâta de porter Katie au chaud, laissant à Mia le soin de fermer la porte.

Après avoir solidement attaché le siège-enfant, il s'installa au volant.

— Et si je te déposais directement chez toi ? dit-il à Mia lorsqu'elle les eut rejoints. Je n'aime pas trop te savoir au volant par ce temps. Laisse ta voiture au cabinet, et je viendrai te chercher lundi matin pour t'emmener au travail.

Il s'attendait qu'elle proteste, mais contre toute attente, elle hocha la tête.

— C'est une excellente idée, mais ne t'inquiète pas pour lundi. J'appellerai Donovan, ma maison est sur son chemin.

— Parfait.

Oui, c'était parfait, songea-t-il. Aller chercher Mia lundi matin lui aurait fait faire un détour, et il aurait suffisamment à faire avec Katie.

Parfait.

Alors pourquoi ce sentiment étrange d'insatisfaction le gagnait-il encore ?

Heureusement, les routes étaient toujours assez glissantes, et lui demandèrent toute sa concentration ; cela lui évita d'avoir à parler de la pluie et du beau temps.

Arrivé devant chez elle, il se rangea sur le bas-côté et mit la voiture au point mort.

— Merci encore. Je ne sais pas ce que j'aurais fait sans toi.

Elle lui adressa un petit sourire.

— Je t'en prie. Je déteste avoir à dire cela, mais ce fut un réel plaisir.

— Je…

Soudain, il oublia ce qu'il voulait dire. Son sourire s'était fait éclatant, l'éblouissait, lui volait sa capacité à aligner deux mots à la suite. Ce sourire lui donnait envie de…

Avant même de s'en apercevoir, il s'était penché sur elle et l'avait embrassée. Un baiser doux et tendre, qui l'invitait à réclamer davantage, sans insister pour autant.

Un baiser qui s'éternisait…

Mac voulut s'écarter d'elle. Il en fut incapable.

Les lèvres de Mia s'adoucissaient sous les siennes, s'ouvrant imperceptiblement…

Il se reprit juste à temps et se redressa sur son siège.

— Euh… Merci, dit-il maladroitement.

Mia resta assise là un moment, l'air perdu… puis choqué.

Une légère rougeur lui monta aux joues ; elle sortit de la voiture en hâte, sans un regard en arrière.

— De rien, au revoir, répondit-elle en claquant la portière.

Mac la regarda courir vers le petit immeuble modeste qu'elle habitait.

Mais que lui avait-il pris de faire *ça* ?

Trois heures plus tard, il n'avait toujours pas de réponse à sa question. Il avait embrassé *Amelia Gallagher* !

Katie faisait la sieste. Mac l'avait portée dans son berceau et avait monté le volume du moniteur au maximum, afin d'entendre chaque inspiration et expiration du bébé.

Bercé par la respiration de Katie, il essaya de ne plus penser à Mia. Ou au baiser.

LE baiser.

Il avait embrassé Mia. Qui aurait cru cela possible ?

Ce tout petit baiser lui avait mis l'eau à la bouche. Il voulait plus que des baisers à présent. Il voulait…

Le téléphone sonna, interrompant ses pensées.

Juste à temps, songea-t-il.

Peut-être était-ce Mia… Peut-être ne pouvait-elle pas cesser de penser à ce baiser, tout comme lui.

— Allô ?

— Bonjour, mon chéri !

Ce n'était pas Mia.

Bien sûr, où avait-il la tête ? Elle l'avait certainement oublié à la seconde où elle était entrée dans son immeuble.

— Bonjour, madame Z., dit-il. Quoi de neuf ?

— Je voulais juste savoir comment tu as survécu à la tempête. Nous avons de la neige ici aussi, et conduire est une véritable gageure, mais avec un peu de chance tout sera dégagé lundi. Alors, comment s'est passé ton week-end ?

— Euh… intéressant, dirais-je, et cela n'a rien à voir avec la tempête.

— Raconte-moi…

Il expliqua comment il s'était retrouvé en charge d'un enfant, comment Mia l'avait aidé, et ce qu'il comptait faire pour trouver une famille à la petite Katie. Mme Z. écouta tout son récit sans rien dire.

Ecouter était une des grandes spécialités de Kelley Zumigalas.

— Eh bien, on peut dire que tu as été bien occupé ce week-end, dit-elle avec un petit rire lorsqu'il eut fini.

— Crois-tu que tu pourrais m'aider ?

Mac détestait appeler à l'aide. C'était toutefois plus facile avec Mme Z. qu'avec Mia. Mme Z. accepterait de l'aider en toutes circonstances, il le savait.

— De quoi as-tu besoin, mon chéri ?

— De ton avis, peut-être, lorsque j'aurai sélectionné des couples pour l'adopter ?

— Tu sais que j'ai toujours un avis sur tout, et je suis en général ravie d'en faire part, au grand désarroi de Chet et de Sal.

Mac éclata de rire. Ils avaient tous subi, par le passé, le poids de ses opinions tranchées et de ses conseils. Mais ils avaient beau se plaindre, elle ne s'était jamais trompée.

— Merci, je savais que je pouvais compter sur toi.

— Et maintenant, parle-moi de cette Mia, dit-elle d'un ton intéressé.

Mme Z. essayait toujours de lui trouver une petite amie.

— Je te connais, mais cette fois, n'essaie même pas ! Si tu nous voyais ensemble, tu saurais qu'il est absolument inimaginable que nous ayons une relation amoureuse.

Il ne lui parla pas du baiser.

Ce baiser ne voulait rien dire.

Il avait déjà embrassé de nombreuses femmes, et il recommencerait ! Pourquoi, soudain, n'avait-il envie d'en embrasser qu'une seule… Mia ?

C'était de la folie.

— Mais je n'ai pas parlé de relation amoureuse ! se défendit Mme Z.

C'était un accident malheureux causé par le stress, songea Mac.

Il n'y penserait plus.

Il devait s'occuper de Katie. Il aurait oublié ce baiser dès demain...

— Je t'appelle la semaine prochaine, dit-il.

— D'accord. J'ai hâte d'entendre ce que tu as à raconter sur Mia.

Rien du tout ! songea Mac après avoir raccroché.

Il n'aurait rien à dire sur elle, car il arrêterait de penser à elle.

A elle et au baiser qu'il lui avait donné.

5.

Le lundi suivant, Mac entra en trombe dans le cabinet d'avocats.

— Mia ! s'écria-t-il.

Encore une fois, il n'avait pas enlevé la neige de ses bottes, mais Mia s'en aperçut à peine ; elle fixait le siège-auto qu'il tenait dans les bras.

Le bébé lui avait manqué hier ; elle s'était fréquemment demandé comment Mac s'en sortait, tout seul avec Katie.

Combien de fois avait-elle failli décrocher son téléphone pour lui demander de leurs nouvelles à tous les deux ? Une douzaine, au moins. Mais à chaque fois, elle avait reposé le combiné sans composer son numéro. Elle s'était sentie bizarre... presque timide.

Mia était pourtant habituée à ressentir une myriade d'émotions lorsque Mac était dans les parages : colère, frustration, énervement, la liste était longue. Mais jamais de la timidité !

En un week-end, leur relation avait changé, et le temps qu'ils avaient passé ensemble n'en était pas la cause...

Non, leurs rapports ne seraient plus jamais les mêmes parce que Mac l'avait embrassée.

Pire encore, Mia lui avait rendu son baiser ! Elle s'était laissée aller contre lui... Mais à quoi songeait-elle donc ?

La réponse était claire : elle n'avait pas réfléchi du tout, et c'était bien là le problème !

Supporter Mac pendant vingt-quatre heures lui avait visiblement grillé quelques neurones. C'était la seule explication envisageable, car jamais elle n'aurait embrassé Mac en temps normal !

Jamais.

Après une journée passée sans lui, elle avait pris du recul et s'inquiétait moins. Un petit baiser pour la remercier de son aide, ce n'était vraiment pas si grave…

Mais tout de même, ce sentiment de gêne et de timidité persistait.

Mia décida de l'ignorer, tout comme elle comptait ignorer leur baiser. Pour être honnête, elle avait surtout l'intention d'oublier qu'elle y avait pris goût… et très vite !

Elle se força à sourire le moins timidement possible.

— Bonjour, Mac.

Zut ! Elle avait oublié de l'appeler Larry.

Visiblement préoccupé, il ne parut pas le remarquer.

— La fille de Leland devait garder Katie pendant que j'étais au tribunal aujourd'hui, dit-il précipitamment, mais elle vient de m'appeler. Un de ses enfants a la grippe, et je ne voudrais pas risquer que Katie l'attrape, alors…

Il ne finit pas sa phrase.

Mia aurait facilement pu le forcer à quémander encore un service, mais bizarrement, elle n'était pas d'humeur à le taquiner.

— Je vais la surveiller, s'entendit-elle répondre. Elle m'a manqué, hier.

— Cela ne te dérange pas ? dit-il, visiblement surpris.

— Bien sûr que non ! Katie et moi nous entendons comme larrons en foire. Je fais cela pour elle, ajouta-t-elle précipitamment.

Qu'il n'aille surtout pas s'imaginer qu'elle voulait l'aider, lui !

— Et puis, tu connais Leland, poursuivit-elle. Il place la famille avant tout le reste. Je suis sûre qu'il ne verra pas d'inconvénient à ce qu'elle reste ici, pour cette fois.

— Quel inconvénient ?

Leland Wagner portait son âge avec aisance et bonne humeur. Fondateur de Wagner, McDuffy, Chambers & Donovan, il en était également le cœur. Nombre d'employés se plaisaient à dire que son sourire chaleureux donnait au cabinet des allures de foyer.

— Cela ne vous dérange pas que je garde le bébé de Mac pendant qu'il plaide, n'est-ce pas ? demanda Mia en guise d'explication.

— Ce n'est pas *mon* bébé ! s'exclama Mac d'un ton horrifié.

— Allons, pas d'affolement, Mac, coupa Leland en riant. J'ai parlé à Brigitta ce matin, elle m'a tout raconté. Elle se sent terriblement mal de t'avoir fait faux bond... Je suis au courant de ce que tu fais pour aider cet enfant. Bien sûr que cela ne me dérange pas ! Tu sais combien nous croyons aux valeurs familiales, ici. Elle est la bienvenue au cabinet jusqu'à ce que tu t'organises un peu mieux.

— Merci, répondit Mac avant de se tourner vers Mia. Voilà, j'ai mis toutes ses affaires dans ce sac. Tu sais ce qu'il faut faire...

Il jeta un regard inquiet à sa montre.

— Je dois vraiment me sauver...

— Vas-y, dit-elle en lui prenant le siège-auto des mains. Après ce que nous avons vécu ensemble ce week-end, je peux faire face à tout !

— Merci, tu es un ange.

A peine Mac était-il sorti en courant du bureau que Leland se tourna vers elle avec un sourire entendu.

— Ce week-end ? Brigitta n'a rien dit à ce sujet… Qu'avez-vous donc vécu de si intense ce week-end ?

— Oh ! Ce n'était rien… En tout cas rien d'intense, s'empressa-t-elle d'ajouter, le visage en feu.

Personne n'était au courant pour le baiser, elle en était sûre. Mais mieux valait ne pas trop parler de leur week-end ensemble.

Sortant Katie du siège-auto, elle fit de son mieux pour éviter le regard inquisiteur de son employeur.

— Je l'ai juste aidé à s'occuper de Katie, expliqua-t-elle, espérant que cela mettrait fin à la discussion.

— Vous l'avez aidé ? De votre plein gré ? Et vous êtes tous deux encore en vie ? s'esclaffa Leland. Eh bien, on aura tout vu, ajouta-t-il dans un murmure.

— Allons, Mac et moi ne sommes pas à couteaux tirés tout de même !

— Ma chère enfant, vous êtes une légende dans ce cabinet. La façon dont vous vous chamaillez sans cesse alimente les discussions… et les rumeurs. Car il n'y a que deux raisons pour que deux personnes se battent ainsi.

Il marqua une pause. Mia choisit de ne pas relever.

— N'allez-vous pas me demander lesquelles ?

— Non, merci, dit-elle en retirant son anorak au bébé. Mais je suppose que vous allez me le dire tout de même…

— Bien sûr ! C'est l'un des avantages des patrons… et des vieux en général. Vous parlez, et tout le monde doit vous écouter. Donc disais-je… il n'existe que deux raisons pour lesquelles deux personnes se comportent comme vous le faites. Soit ils ne s'aiment pas…

— Oui, ce doit être ça, dit Mia d'un ton distrait tandis qu'elle prenait Katie dans ses bras. Bonjour, toi !

L'enfant sourit et babilla gaiement.

— Soit…, continua M. Wagner.

La lenteur calculée avec laquelle il avait parlé força Mia à lever les yeux. Son employeur souriait à pleines dents.

— Soit ils s'aiment beaucoup, mais ne veulent pas l'admettre. Alors ils passent leurs journées à se chamailler pour cacher leur attirance l'un pour l'autre.

— Il n'y a aucune attirance à cacher entre Mac et moi-même. Nous appartenons à la première catégorie. Nous ne nous apprécions pas, mais il se trouve que nous aimons tous les deux beaucoup Katie, ajouta-t-elle en embrassant le front de la petite fille. Nous avons donc décidé d'une trêve.

Oui, songea-t-elle, le baiser de Mac avait scellé un accord de paix. Rien de plus. Cela n'expliquait pas pourquoi il figurait si régulièrement dans ses rêves, mais elle n'allait certainement pas creuser cette idée, décida-t-elle.

Ce baiser n'était rien.

— Si vous le dites, dit M. Wagner d'un ton indiquant qu'il ne la croyait pas tout à fait.

Fort heureusement, il abandonna le sujet pour se tourner vers Katie.

— Oh, c'est une vraie beauté ! Quel est son nom déjà ?

— Katie. Katie O'Keefe.

Mia serra l'enfant contre elle. Comment Mac pouvait-il envisager de la laisser partir ? Si Katie était sous sa tutelle, jamais elle ne pourrait la quitter, songea-t-elle.

— Petite Katie, susurra Leland, veux-tu venir voir grand-père Wagner ?

Il tendit les bras et Mia lui donna l'enfant.

— Attention, elle gigote. Elle sait également marcher à quatre pattes et apprend à se tenir sur son séant… Mais elle est plus douée encore pour retomber, sourit Mia.

— Je suis un expert en bébés, assura-t-il.

En effet, il en avait tout l'air. L'enfant perchée sur sa hanche, il lui chatouillait le menton avec sa main libre.

— Elle peut frétiller tant qu'elle voudra, je ne la laisserai pas tomber.

— Bien sûr, répondit poliment Mia, tout en le surveillant néanmoins.

— Et si je l'emmenais faire le tour des bureaux pour dire bonjour à tout le monde ?

— Vraiment, elle est très bien ici… Je ne voudrais pas vous déranger, c'est déjà tellement gentil à vous de me laisser la garder au travail…

— Vous mentez ! s'esclaffa Leland. Vous avez peur que je la lâche… et vous n'aimez pas l'idée qu'elle sorte de votre champ de vision. Ne vous inquiétez pas, je ne suis pas vexé ; toutes mes filles étaient comme vous lorsqu'elles ont eu leurs enfants. Surprotectrices ! Elles oubliaient que je les ai élevées, tout de même ! Allons, je vous promets de la ramener dans peu de temps, saine et sauve.

Que dire de plus ? Mia ne pouvait que sourire et acquiescer, mais elle sentit son estomac se serrer en le regardant monter l'escalier avec Katie.

C'était ridicule ! M. Wagner avait plus d'expérience qu'elle en matière d'enfants… Katie était en parfaite sécurité. Mais alors, si elle n'était pas anxieuse à cause du bébé, pourquoi était-elle si tendue ?

Le visage de Mac s'imposa immédiatement à son esprit. Non, M. Wagner avait tort. Elle ne ressentait rien pour Mac. A part leur affection commune pour Katie, rien ne les liait.

Mais elle eut beau se répéter ces phrases rassurantes en boucle, elle ne parvint pas à y croire tout à fait.

*
**

Mac eut toutes les peines du monde à se concentrer sur le procès en cours. Ses pensées revenaient sans cesse à Mia et Katie, et il courut appeler la jeune femme à chaque occasion.

S'enquérir de la santé de Katie n'était qu'une excuse, il devait bien l'admettre. Mac avait tout simplement envie de parler à Mia. Il en avait déjà eu envie la veille, toute la journée, mais n'avait pas osé… Sans prétexte, qu'aurait-il dit ?

Mac ne comprenait pas pourquoi il ressentait le besoin d'être avec Mia, de parler avec elle, mais il savait une chose : la maison semblait vide sans elle. A sa grande surprise, il n'avait eu aucun mal à s'occuper de Katie tout seul. La petite était une vraie merveille, tout le temps en train de sourire et d'éclater de rire.

Même lorsqu'elle dormait, il pouvait entendre sa respiration sur le moniteur… La maison semblait enfin prendre vie ; depuis cinq ans qu'il y habitait, Glenwood House lui avait toujours paru confortable, mais maintenant, elle semblait réellement prendre vie.

Et ce n'était pas seulement grâce à Katie… Il n'aurait pas su expliquer pourquoi, mais la présence de Mia réchauffait la maison, et son dimanche passé seul avec Katie lui avait semblé terne en comparaison de la veille.

A 16 h 30, il fut enfin libre de quitter le tribunal et courut au cabinet, le cœur étonnamment léger à l'idée de retrouver Mia et Katie.

— Comment allez-vous, les filles ? lança-t-il en franchissant la porte.

— Chut ! dit Mia, indiquant du menton le siège-auto placé derrière son comptoir. Elle s'est endormie. Elle était totalement épuisée, la pauvre. Tu peux t'en prendre à M. Wagner, qui a paradé avec elle tout l'après-midi de bureau en bureau !

Mac sourit à cette pensée.

— Tout s'est bien passé ?

— Comme je te l'ai dit chaque fois que tu as appelé, Katie va très bien. Elle a été parfaite ; je n'ai jamais vu de bébé plus sage ! Sais-tu qu'elle m'a même aidé à accueillir les clients avec de grands sourires ? Ils sont tous tombés amoureux en une fraction de seconde.

Et les clients n'étaient pas les seuls à être tombés sous le charme de l'enfant, songea Mac. Mia aussi tenait à Katie, il le voyait dans ses yeux.

Elle était même folle du bébé, c'était évident ! Sa voix s'adoucissait à chaque fois qu'elle prononçait son prénom.

L'espace d'une seconde, Mac souhaita l'entendre prononcer son nom avec la même tendresse, plutôt qu'avec dédain.

— Je ne sais comment te remercier, dit-il. Je te revaudrai ce service.

— Et comment ?

— Viens dîner avec Katie et moi. Tu lui as manqué la nuit dernière.

— Larry, je ne suis pas sûre que…

Pour une fois, Mia ne dit pas son prénom d'un ton énervé ou moqueur. Elle semblait totalement perdue.

C'était précisément ce qu'il ressentait lui aussi, songea-t-il. Mais entre son travail et Katie, il n'avait vraiment pas le temps de se poser des questions.

Il n'était certain que d'une chose ; il avait envie de passer la soirée avec Mia. Pire, il en avait besoin.

Mac décida de ne pas chercher à comprendre ce sentiment. Le besoin était là, autant l'accepter.

Mia n'avait toujours pas fini sa phrase.

— Serais-tu déjà prise ? s'enquit-il, l'estomac noué.

— Non.

Mac expira. Il ne s'était pas rendu compte qu'il retenait sa respiration en attendant une réponse.

— Pas de dîner avec un acteur d'Hollywood ? plaisanta-t-il, à présent soulagé. Je ne serais pas vexé si tu me préfères un joli garçon...

Mia lui offrit un sourire éclatant.

— Non, pas de joli garçon. Mais j'attends un appel d'une minute à l'autre.

— J'en déduis que tu n'es pas insensible à leur charme ?

— Plaisanterie à part, je préfère les hommes aux garçons... Qu'ils soient jolis ou non.

Mac saisit la balle au bond.

— Je crois entrer dans la catégorie des hommes... Par ailleurs, je sais que tu adores Katie. Alors, pourquoi te priver d'un repas gratuit ? De la pizza ! Et tu choisis la garniture...

Contre toute attente, le sourire de Mia s'évapora.

— Le baiser, murmura-t-elle.

— Quel baiser ? dit-il, feignant de ne pas comprendre.

Ce baiser le poursuivait pourtant nuit et jour... Pourquoi avait-il embrassé Mia Gallagher ?

Il ne l'aimait pas ! Elle ne cessait de le contrarier... S'il l'invitait ce soir, s'il pensait à elle sans cesse... ce n'était que par reconnaissance. Elle l'avait tant aidé, d'abord ce week-end, puis encore aujourd'hui.

Oui, c'était certainement pour cela !

— De la gratitude ! s'empressa-t-il d'ajouter. Ce n'était qu'un simple geste pour te remercier, rien de plus.

— Si je comprends bien, tu remercies toutes les femmes qui t'aident par un échange de salives ?

Il reconnut dans son ton narquois l'ancienne Mia, celle qui ne mâchait jamais ses mots.

— Allons, c'était à peine plus qu'une bise ! Franchement, Mia, si je t'embrasse vraiment un jour, tu t'en rendras compte.

— Qu'entends-je ? s'enquit Donovan, qui venait de passer la porte.

Mia sursauta.

— Qui embrasse qui ? insista leur collègue.

— Moi, bafouilla Mia. J'embrassais Katie et Larry a eu peur que je ne lui refile mes microbes.

— Je ne suis pas un expert, mais je crois que Katie survivra, sourit Donovan. Du moins, je l'espère, étant donné que la moitié du cabinet l'a embrassée cet après-midi !

Des microbes ?

Mac n'y avait pas songé. Que se passerait-il si Katie tombait malade ? Il n'osait l'imaginer.

— Je devrais peut-être prendre rendez-vous chez le pédiatre, au cas où, dit-il. Je n'arrive pas à croire que j'ai pu oublier ça. Elle a besoin d'être examinée… Et si elle était malade sans qu'on le sache ?

— Mac, elle m'a l'air en parfaite santé, dit Mia.

— Mais les apparences peuvent être trompeuses ! Nous devrions appeler Brigitta. Elle a des enfants, elle doit connaître un bon pédiatre… Pensez-vous que je pourrais obtenir un rendez-vous ce soir ?

Donovan secoua la tête.

— Il est très tard…

— Sinon…Tu connais Louisa, du *Chocolate Bar* ? Son mari est médecin, offrit Mia. Il travaille aux urgences, et voit sûrement beaucoup d'enfants malades là-bas. Je suis sûre que nous pourrions lui demander de passer en vitesse… Veux-tu que je l'appelle ? Je préfère aussi m'assurer qu'elle n'a rien, même si je maintiens qu'un bébé a besoin de bisous, microbes ou non.

Il était clair que Mia s'inquiétait elle aussi de la santé de Katie. Mais elle prenait également soin de répéter son histoire de bise… Elle devait vraiment craindre que Donovan ne découvre *qui* elle avait embrassé en réalité ! songea-t-il.

C'était d'ailleurs lui qui avait commencé. Et aussi étrange que cela puisse paraître, il avait vraiment envie de réitérer l'expérience…

Mais il fallait tout d'abord s'occuper de Katie.

— Merci, Mia. Oui, appelle-le, s'il te plaît.

— Je m'en charge de suite, répondit-elle en s'emparant de l'annuaire.

— Puis-je te laisser Katie le temps de faire un saut rapide à l'étage ?

— Bien sûr ! Au fait, tu as reçu un colis. Je l'ai mis sur ton bureau.

Il était arrivé ! Mac ne put retenir un sourire de satisfaction.

— Parfait, dit-il seulement.

Grimpant les marches quatre à quatre, il s'aperçut que son invitation à dîner était restée en suspens. Zut, il lui faudrait en reparler à Mia avant de partir…

Donovan le rejoint en haut de l'escalier.

— Alors comme ça, tu as embrassé Mia, hum ?

Mac lui jeta un regard froid.

— Qu'est-ce qui te fait penser ça ?

Donovan ne répondit pas ; il se contenta de le regarder, attendant visiblement une réponse plus convaincante.

Mac soupira.

— D'accord, je l'ai embrassée, admit-il. Je ne sais pas pourquoi elle en fait toute une histoire. Ce n'était qu'un geste de remerciement pour toute l'aide qu'elle m'a apportée. Je ne sais pas comment j'aurais fait sans elle ce week-end, ni aujourd'hui, d'ailleurs.

A bien y réfléchir, s'il l'avait embrassée pour la remercier, il lui devait un autre baiser pour son aide d'aujourd'hui, lui souffla une petite voix.

Une petite voix déraisonnable… mais bien agréable.

— Tu embrasses tous ceux que tu remercies ? s'enquit Donovan, une étincelle malicieuse dans les yeux. Je t'ai aidé pour l'affaire Roger, et tu ne m'as jamais embrassé !

Il ricana et tendit exagérément les lèvres, singeant un baiser.

— Et tu peux être sûr que cela n'arrivera jamais, répondit Mac en lui administrant une bourrade sur l'épaule.

— Ma femme sera soulagée de l'apprendre, sourit Donovan. Alors, comptes-tu l'embrasser de nouveau ? demanda-t-il, recouvrant son sérieux.

— Le bébé ?

— Non, Amelia !

Mac chercha à éluder la question. Il ne pouvait tout de même pas avouer qu'il pensait sans cesse à embrasser la jeune femme !

— Mia, corrigea-t-il. Elle a changé de nom… Et *Mia* prend un petit bisou sur la joue bien trop au sérieux pour que je recommence.

— C'est donc tout ce que c'était, une simple bise ? Ce n'est pas ce que j'ai cru comprendre…

— Bon, d'accord, ce n'était pas sur la joue… mais ce n'était rien de sérieux, insista Mac. Bon sang, s'il me prenait l'envie de l'embrasser *vraiment*, elle verrait la différence !

— D'accord, ne te fâche pas !

Donovan battit en retraite dans son bureau, laissant Mac à la porte du sien.

Le paquet l'attendait sagement. Il l'ouvrit et sourit.

C'était parfait. Exactement ce qu'il voulait.

Un dîner avec Mac. Pas par hasard, comme la dernière fois…

Elle dînait *exprès* avec Mac !

Mia se demanda si elle ne perdait pas la tête.

Elle tenta de se convaincre qu'elle n'avait accepté que par gourmandise. Elle avait choisi une pizza de chez Teresa, dont elle raffolait.

Avec des Pepperonis et des champignons.

— Quel que soit le jour de la semaine, je préfère manger les pizzas de Teresa que de cuisiner, dit-elle en finissant sa seconde part.

Il fallait bien briser le silence gêné qui s'était installé ! Elle jeta un regard à Katie, endormie dans son siège-auto. Serait-il *vraiment* cruel de la réveiller ?

La conversation semblait moins facile sans les babillages de la petite fille pour les interrompre. Après tout, elle n'avait aucune raison valable de dîner avec Mac, chez lui, si ce n'était pour voir Katie.

Mac devait penser la même chose, songea-t-elle. Il semblait lui aussi très mal à l'aise.

— Alors, as-tu commencé à chercher une famille pour Katie ?

— Non. J'ai été pris au tribunal toute la journée.

— J'avais pensé que tu passerais deux ou trois appels pendant les pauses…

— C'est toi que j'appelais pendant les pauses.

— Pour t'assurer que Katie allait bien, s'empressa-t-elle d'ajouter.

— Bien sûr. Je n'aurais aucune autre raison de t'appeler.

— Tout à fait ! Nous n'entretenons pas ce genre de rapports…

— En effet. Notre relation est un partenariat. Nous travaillons ensemble pour le bien de Katie.

— Voilà ! s'exclama Mia, soulagée. Pour le bébé. Rien d'autre.

Le silence gêné revint tandis qu'ils finissaient leur pizza. Et Katie dormait toujours, parfaitement tranquille malgré la tension régnant entre les deux adultes.

— Je dois aller chercher quelque chose dans la voiture, dit soudain Mac, se levant d'un bond.

Un peu de répit, songea Mia.

— Aucun problème, je vais débarrasser. Si Katie se réveille, je lui donnerai son bain avant de partir.

Mia fit la vaisselle et la rangea. Elle finissait de nettoyer la table lorsque Mac revint, portant un gros paquet. A sa grande surprise, il le lui tendit d'un geste abrupt et maladroit.

— Tiens, dit-il. C'est pour toi.

— Pour moi ?

— Je voulais te remercier de m'avoir aidé. Tu t'es privée de ton week-end à la dernière minute… En plus, tu m'as de nouveau rendu service aujourd'hui.

— Il ne fallait pas… enfin, je veux dire…

— Contente-toi de l'ouvrir. J'ai appelé la femme de Donovan, elle m'a dit que la taille t'irait.

Mia posa l'encombrante boîte sur la table et l'ouvrit lentement. C'était un tissu noir, doux… Un manteau ! Le sortant totalement de son emballage, elle découvrit qu'il était long, en laine. Epais. Bien plus chaud que son petit anorak…

— Ecoute, dit Mac avant qu'elle ait pu réagir, je te connais. Tu vas t'insurger, dire que tu n'en veux pas… D'autant plus que j'ai fait des remarques sur ton apparence dans tes vêtements superposés. Mais je t'assure que ce n'est pas pour me moquer… Je voulais te remercier, je savais que cela te serait utile et…

Il marqua une pause, cherchant visiblement ses mots.

— Euh… En solde ! Il était en solde, alors…

— Mac, je ne vais pas m'énerver, dit-elle, caressant le tissu de la main. C'est très… très gentil et délicat de ta part ; je

85

n'aurais jamais cru utiliser ces termes en parlant de toi, mais j'en apprends chaque jour un peu plus sur ton compte…

— Hum… Tu penses rester là à le regarder ou tu vas te décider à l'enfiler ?

Son ton était rude, et son regard troublé, comme s'il ne savait pas comment prendre ce compliment.

Elle-même ne savait pas comment réagir à toutes les nouvelles qualités qu'elle lui découvrait chaque jour, songea Mia.

— Si ce n'est pas la bonne taille, la vendeuse a promis de l'échanger. Mais comme je te le disais, j'ai vérifié auprès de Sarah.

Lui prenant l'étoffe des mains d'un geste mal assuré, il l'aida à l'enfiler. Le manteau lui allait parfaitement.

— Il est magnifique, dit Mia.

— Je cherchais un manteau qui soit chaud, avant tout.

— Eh bien, il est à la fois chaud et magnifique, insista-t-elle. Tu n'aurais pas dû, mais merci beaucoup.

Sans réfléchir, elle se haussa sur la pointe des pieds et l'embrassa sur la joue.

Mauvaise idée, songea-t-elle aussitôt. C'était à présent son tour d'être troublée !

Alors qu'elle s'écartait de lui, Mac la retint. Glissant un bras autour de sa taille, il l'attira contre lui.

— De rien, dit-il d'une voix douce et grave. Mia, je…

Elle ne le laissa pas finir. Elle savait ce qu'il voulait, et bien qu'elle ne comprenne pas pourquoi, elle le voulait aussi.

Alors elle s'approcha et l'embrassa de nouveau.

Mais pas sur la joue.

Cette fois, elle choisit ses lèvres.

Elle avait prévu un baiser rapide, juste pour se débarrasser de cette envie aussi étrange que tenace. Mais Mac ne devait pas l'entendre de cette oreille.

Le baiser s'éternisa, puis s'approfondit.

Les bras de Mac autour d'elle l'emprisonnaient contre son torse, et soudain, le lourd manteau de laine lui apparut comme une barrière encombrante plutôt qu'une protection.

Le plus petit détail la séparant de lui semblait de trop. Elle voulait être plus près, sentir la chaleur de son corps musclé irradier. Elle voulait l'absorber, le tenir.

Elle voulait…

On sonna à la porte d'entrée. Mia recula brusquement, comme frappée par la foudre.

Mac jura.

— Qui cela peut-il être ?

Mia mit plusieurs secondes à réagir, puis sa propre voix lui parvint, aussi essoufflée que si elle venait de courir un cent mètres.

— Peut-être Joe, le médecin ? Il devait passer voir Katie, souviens-toi…

— Je sais qu'il vient nous aider, mais… Il choisit bien son moment ! grommela Mac en la relâchant.

— Peut-être, en effet…, dit-elle sans ironie. Je ne sais pas trop où cela nous menait.

La sonnette retentit de plus belle, réveillant Katie, qui commença à pleurer.

— Lorsqu'il sera parti, rappelle-moi de te donner une démonstration de ce que nous faisions… Je te montrerai précisément où cela nous menait.

Sans répondre, Mia enleva son manteau, caressant une dernière fois le tissu moelleux avant de courir calmer Katie.

Il était hors de question qu'elle accepte l'offre de Mac, pensa-t-elle. Elle n'aurait besoin d'aucune démonstration, tout simplement parce qu'elle ne l'embrasserait plus. Elle avait des projets, un avenir !

Les baisers de Mac étaient la plus plaisante des diversions… mais elle ne se laisserait pas détourner de ses buts pour une relation sans lendemain.

Pourtant, comme elle en avait envie !

6.

Mac ne trouva pas une personne sur le pas de la porte, mais deux. Joe Delacamp était venu accompagné de sa femme, Louisa.

Nouvelle venue dans le quartier, cette rousse flamboyante tenait *The Chocolate Bar*, une confiserie et salon de thé. Les commerçants de *Perry Square* l'avaient adoptée dès son arrivée.

Quel beau couple, songea-t-il. Joe, grand et brun, dominait sa jeune épouse d'une bonne tête. Il émanait d'eux le même bonheur tranquille que de ses collègues, Donovan et Sarah.

Ce gentil spectacle aurait donné le frisson à n'importe quel célibataire endurci, mais Mac savait que jamais il ne tomberait dans le piège du mariage.

Il était immunisé.

— J'ai entendu le mot « bébé », et je me suis invitée, s'excusa Louisa.

Elle salua brièvement Mac, cherchant déjà Katie du regard.

— Amelia ? Je suis surprise de te trouver ici !

— Mia, corrigea Mac en souriant.

Oui, ce nom dynamique et sans prétention lui allait bien mieux qu'Amelia… Comment ne l'avait-il pas vu plus tôt ? Peut-être était-il trop occupé à lui chercher des noises pour remarquer sa vraie nature… Mais il ne voyait plus que cela, à présent.

Mia lui jeta un regard noir. Sans doute n'appréciait-elle pas une telle démonstration d'intimité.

— Bonjour, Louisa, dit-elle. Je suis juste venue… aider. Tu connais les hommes, ils peuvent perdre tous leurs moyens quand on leur met un bébé dans les bras. Mac n'étant pas d'une grande intelligence en temps normal, tu peux imaginer combien je m'inquiète de le savoir seul avec Katie !

Mac aurait dû se sentir insulté. Après tout, ne s'était-il pas occupé du bébé aussi bien qu'elle ?

Pourtant, il lui offrit son plus grand sourire, ce qui parut l'énerver de plus belle.

Mia essayait clairement de réinstaurer leurs querelles. Certainement un mécanisme de défense, pensa-t-il. Et pourquoi ?

A cause du baiser, bien sûr.

Ce n'était d'ailleurs plus un seul, mais plusieurs baisers.

L'idée d'avoir recommencé devait tant la perturber qu'elle s'était mise sur la défensive.

Le sourire de Mac s'élargit, et Mia se rembrunit de plus belle.

— Dites donc, vous deux, leur dit Joe, Donovan n'est pas là pour jouer les arbitres, je suppose donc que ce rôle me revient… Je me demande comment vous faites pour vous supporter lorsque vous êtes seuls !

— Tu serais surpris, rétorqua Mac. Veux-tu que je t'explique ?

— Non ! intervint Mia d'un ton affolé. Joe ne veut pas entendre parler de nos querelles. Il est là pour Katie. Merci d'être passé, Joe.

— Puis-je la prendre dans mes bras ? demanda Louisa.

— Bien sûr.

Mia lui tendit Katie, qui gigotait gaiement.

— Qu'elle est mignonne ! s'exclama Louisa. J'espère que nous aurons une fille, ajouta-t-elle dans un murmure.

— Auriez-vous une bonne nouvelle à nous annoncer ?

— Eh bien…, répondit-elle lentement, cherchant des yeux l'approbation de son mari. Nous ne l'avons encore dit à personne, mais nous allons avoir un bébé. Je ne suis enceinte que de deux mois, c'est encore un peu tôt pour l'annoncer…

— Aaron est fou de joie, renchérit Joe, en parlant de leur premier fils. Il a hâte d'être grand frère.

— Félicitations !

Mia serra Louisa dans ses bras, prenant garde de ne pas écraser la petite Katie.

— Félicitations, renchérit Mac, la main sur l'épaule de Joe. Alors, comment te sens-tu ?

— Je suis mort de peur. Je n'avais jamais imaginé avoir un jour des enfants. C'est à la fois effrayant et fabuleux. Mais tu dois le savoir ? Depuis que tu as Katie…

— Non, répondit Mac. Ce n'est pas du tout la même chose. Katie n'est pas vraiment à moi, je n'en ai que la garde temporaire.

Mia lui lança un regard triste, comme à chaque fois qu'il parlait de faire adopter le bébé.

Mac détestait ce regard.

Il préférait encore supporter ses piques ; cette expression triste et résignée lui donnait la désagréable impression de la décevoir. Bon sang, elle n'avait pourtant pas son mot à dire dans cette affaire !

Joe coupa court à ses pensées.

— Bon, voyons ce bébé, dit-il.

En quelques minutes, il l'avait examinée.

— Voilà un bébé en pleine forme, tout ce qu'il y a de plus épanoui ! déclara-t-il.

Mac sentit un grand soulagement l'envahir. Il n'avait pas eu conscience de s'inquiéter autant pour la santé de Katie.

— Il ne vous reste plus qu'à vous assurer que ses vaccins sont à jour.

— Connaissant sa mère, je suis certain qu'ils le sont.

Même si Marion avait dû se priver pour cela, songea-t-il.

— Puis-je vous offrir à boire ? s'enquit Mia.

— Non merci, dit Louisa. J'adorerais rester jouer avec Katie, mais nous ferions mieux de rentrer. Mon père ne pourra pas garder Aaron toute la soirée… il a un rendez-vous galant un peu plus tard.

— Toujours avec Mabel ? demanda Mia.

L'histoire d'amour d'Elmer avec la fleuriste du *Square* était sur toutes les lèvres. Mac s'étonnait régulièrement de l'ambiance villageoise qui y régnait. Sans rivaliser avec New York, Erie était tout de même une grosse ville ! Mais le *Square*, niché en plein centre-ville, semblait échapper à toute règle urbaine.

Tout le monde y connaissait tout le monde, et personne n'hésitait à donner son avis !

— Oui, ils sont toujours ensemble, répondit Louisa avec un soupir attendri. Ils sont si mignons ! Je n'ai jamais vu mon père si heureux. Une belle histoire d'amour, rien de tel pour illuminer votre vie, vous ne trouvez pas ?

Mal à l'aise, Mac jeta un regard en biais à Mia. La jeune femme avait l'air aussi gênée que lui. Allons, quelques baisers échangés ne constituaient pas une histoire d'amour… Si ?

— Je suis ravie pour eux, dit Mia.

— Elmer mérite de trouver l'amour. Tout le monde devrait trouver l'âme sœur, insista leur invitée.

Elle échangea avec son mari un de ces regards complices que Mac avait souvent vu passer entre les Zumigalas. Son malaise s'accrut. Mac avait déjà entendu dire que les femmes enceintes rayonnaient, mais il ne l'avait jamais constaté jusqu'à aujourd'hui. Louisa semblait irradier de bonheur.

Le lendemain matin, au volant de sa voiture, Mia pensait encore aux paroles de Louisa, et aux baisers qu'elle avait échangés avec Mac...

Après le départ du jeune couple, elle avait aidé celui-ci à coucher Katie, puis s'était vite échappée.

Avant de pouvoir de nouveau se trouver seule avec Mac, la jeune femme avait besoin de temps pour réfléchir pour comprendre ce qui se passait entre eux.

Pourtant, comme il lui avait été difficile de partir ! Elle avait eu tout autant envie de rester parler avec lui que de prendre ses jambes à son cou. Ces désirs contradictoires n'avaient aucun sens !

Et la nuit passée à se retourner sans cesse dans son lit n'avait apporté aucune réponse à ses questions.

Mia se réjouit de trouver la porte du cabinet verrouillée. Arriver la première lui laisserait le temps de quelque peu rassembler ses esprits.

Le hall était sombre et silencieux. Posant son sac sur le comptoir, la jeune femme ôta son manteau. Quel magnifique cadeau, songea-t-elle. Bien trop cher pour sa bourse... Il aurait probablement fallu qu'elle proteste, qu'elle refuse...

Elle le pendait soigneusement dans le placard lorsque la porte s'ouvrit avec fracas. L'espace d'un instant, le cœur de Mia se mit à battre la chamade, puis se calma aussitôt.

Ce n'était pas Mac, mais Pearly Gates, la commère du *Square*.

— J'entends des rumeurs, petite ! dit-elle sans s'encombrer de préambule. Et tu me connais, je déteste les rumeurs... Du moins celles que je ne fais pas circuler moi-même. Ne tournons pas autour du pot. Que se passe-t-il entre Mac et toi ? Et depuis quand a-t-il un bébé ?

La vieille dame prit un siège placé à côté du bureau de Mia et s'installa confortablement pour écouter la réponse.

Le seul moyen de se débarrasser de Pearly était de lui parler ; elle ne s'en irait pas sans avoir entendu toute l'histoire, et Mia le savait.

Résignée, la jeune femme s'installa également.

— Pour commencer, il n'y a rien du tout entre Mac et moi, dit-elle.

A part quelques baisers qu'elle ne mentionnerait pas…

— Quant au bébé, ce n'est pas vraiment le sien.

— Tu en as trop dit ou pas assez ! J'attends… Et fais-moi le plaisir d'éviter la version courte, je ne m'en contenterai pas.

Avec un soupir, Mia lui raconta tous les détails.

— Quand la neige s'est enfin calmée, Mac m'a ramenée chez moi, conclut-elle enfin. Il cherche une famille adoptive pour Katie, mais tant qu'il n'en a pas trouvé, il s'en occupe personnellement.

— Tu l'appelles Mac, maintenant ? s'enquit Pearly.

Décidément, rien n'échappait à cette femme !

— Larry, corrigea-t-elle trop tard. J'aide *Larry* à s'occuper du bébé.

— Hum… tu aides Larry Mackenzie ? Si je ne l'entendais de ta bouche, je ne l'aurais jamais cru, dit la vieille femme en secouant la tête.

— Moi non plus, admit Mia. Mais après tout, ce n'est pas Mac que j'aide, c'est Katie, nuance. L'un est grand, énervant et difficile à apprécier ; l'autre est petite, sage comme une image et incroyablement facile à aimer !

— Tu viens encore de l'appeler Mac, souligna Pearly.

Maintenant qu'elle avait la puce à l'oreille, la vieille dame allait se focaliser sur elle ! Mia feignit l'incompréhension.

— Pardon ?

— Je ne t'ai jamais entendue l'appeler *Mac* jusqu'à aujourd'hui. Et voilà que tu le fais deux fois en l'espace de quelques secondes ! Tout le monde au *Square* l'appelle Mac. Sauf toi…

Zut.

Haussant les épaules, Mia prit un air nonchalant.

— Ma langue a fourché, voilà tout.

— Ce n'est pas tout, continua Pearly, visiblement ravie d'avoir trouvé une piste. Lorsque tu l'as appelé Mac, il y avait une certaine douceur dans ta voix. Une tendresse qui vient, d'après ma longue expérience, après un baiser…

— Pearly, voyons ! Tu sais que je préférerais embrasser une limace…

Un crapaud, se corrigea-t-elle mentalement, se rappelant ce qu'avait dit Mac sur les princes charmants.

Un petit sourire étira ses lèvres, et elle en oublia presque de finir sa phrase.

— … plutôt que d'embrasser Larry Mackenzie.

— Peut-être, mais tu n'as pas embrassé une limace. Tu as embrassé Mac !

— Mais non…

Mia croisa les doigts sous son bureau, bien que ce fût la stricte vérité.

Elle n'avait pas embrassé Mac…

C'était Mac qui avait commencé !

Et puis, le deuxième baiser ne comptait pas.

— T'ai-je jamais raconté l'époque où j'ai été élue Reine de la kermesse du canton ? demanda soudain Pearly.

Ravie de changer de sujet, Mia prit un air intéressé. Plus elle niait avoir embrassé Mac, plus elle risquait de se trahir.

— Non, dit-elle. J'ai entendu beaucoup de tes histoires, mais pas celle-ci.

— J'étais en terminale, et ma classe avait organisé un « stand à baisers ». Nous voulions réunir des fonds pour un voyage à Atlanta. Et quel voyage ! Mon Dieu…

— Le stand à baisers, Pearly, interrompit Mia.

La vieille dame avait tendance à se lancer dans des digressions sans fin, et les habitants du quartier avaient appris à l'arrêter avant qu'il ne soit trop tard.

— Ah oui. Je ne comptais pas y participer, mais mon amie Shirley m'a inscrite en cachette ! Pour un dollar, nous embrassions les garçons. J'ai dû en embrasser une centaine ce week-end-là ! Mais l'un d'eux, Buster McClinton… était différent. Je ne m'entendais pas avec lui, nous nous disputions souvent. Pourtant, à la seconde où ses lèvres ont touché les miennes… C'était électrique. Envolées, les querelles !

Les yeux dans le vague, la vieille dame se tut un instant. Mia comprit qu'elle était perdue dans son passé, avec Buster McClinton.

— Plus tard, reprit-elle, j'ai voulu comprendre pourquoi son baiser était différent des quatre-vingt-dix-neuf autres.

— Et ?

— J'en ai parlé à Shirley, qui avait toujours réponse à tout, répondit Pearly avec un sourire. D'après elle, il existait toutes sortes de baisers. Ceux qu'on échange avec sa famille, ses amis. Ceux des stands dans les foires, qui n'en sont pas, pour tout dire ; ce sont juste des lèvres qui se frôlent une seconde. Et puis, il y a les baisers qui comptent vraiment. Ceux que l'on peut repérer sur ton visage, entendre dans ta voix. Voilà le genre de baiser que j'ai échangé avec Buster, et que tu as donné à Mac. Ceux-là révèlent des sentiments. Ils sont inestimables.

— Je ne suis pas d'accord ! Embrasser Mac ne veut rien dire pour moi !

— Ha ! ha ! s'écria Pearly, visiblement ravie. Tu admets donc l'avoir embrassé, je le savais !

Oh, non. Qu'avait-elle fait ?

Maintenant que Pearly Gates, alias le héraut du *Square*, savait qu'elle avait embrassé Mac, tout le monde serait au courant avant l'heure du dîner !

Ou celle du déjeuner…

— Qui es-tu… Colombo ?

— Tu éludes le sujet, déclara Pearly d'un ton péremptoire. Les coupables ont tendance à faire ce genre de chose…

— Je ne suis pas coupable ! protesta Mia.

— Je n'ai jamais dit que tu l'étais. Et si tu te sens coupable, tu as tort. Mac et toi formeriez un couple parfait. Vous vous complétez à merveille.

— Je ne veux compléter personne, et certainement pas *Larry* Mackenzie !

Mia prit soin de prononcer son prénom avec conviction.

— J'ai des projets, poursuivit-elle. Des projets plus importants qu'une amourette. Je retourne à la faculté !

Avant que Katie et Mac ne viennent occuper ses pensées, Mia avait passé ses journées à chercher quelle voie emprunter. La jeune femme s'était si longtemps occupée de ses frères que la liberté lui tournait la tête ; elle n'arrivait pas à se décider.

Mais prononcer ces mots à haute voix lui fit prendre conscience que c'était une excellente idée ; la meilleure solution pour son avenir, et ce dont elle avait profondément envie.

Fouillant dans un tiroir, elle retrouva la brochure de Mercyhurst, l'université qui l'intéressait.

—Oui, reprit-elle, je retourne sur les bancs de l'école ! Je veux obtenir mon diplôme. J'ai interrompu mon cursus pour élever mes frères. Maintenant qu'ils ont fini leurs études, à moi de reprendre les miennes.

— C'est bien ! s'exclama la vieille dame, visiblement ravie pour elle.

— Ce qui veut dire, insista Mia en articulant soigneusement chaque mot, que je n'aurais pas le temps de m'impliquer dans une relation amoureuse.

— Et pourquoi pas ? Je ne vois pas le rapport.

— Parce que je serais trop prise par mon travail et mes études. Je n'aurais pas le temps de fréquenter quelqu'un ! D'ailleurs, même si je l'avais, je ne choisirais certainement pas M... Larry. Au cas où tu ne l'aurais pas remarqué, nous nous entendons comme chien et chat.

— Je te parlais de mon amie Shirley... Eh bien, lorsque nous avions une vingtaine d'années, elle s'est retrouvée sous le gui avec Johnny Peters, le garçon qu'elle détestait le plus de toute l'école ! Ces deux-là se chamaillaient depuis la maternelle. Tout le monde les haranguait pour un baiser... Johnny avait l'air aussi furieux que Shirley d'être coincé ainsi, mais le rapide bisou demandé se transforma soudain en baiser langoureux. Les garçons et les filles commencèrent à siffler, huer ou se moquer... mais il la prit dans ses bras et s'accrocha à elle comme si sa vie en dépendait. Ce fut le début de la fin...

— Que s'est-il passé ?

— Oh, ils ont tout fait pour reprendre leurs chamailleries, mais le cœur n'y était plus. Les baisers se reproduisirent, puis devinrent plus fréquents que les disputes... Aux dernières nouvelles, ils ont quatre enfants et neuf petits-enfants.

— Aucun risque que cela m'arrive avec Ma... Larry !

Mia se reprit juste à temps. Mais que lui arrivait-il ? Elle commençait vraiment à penser à lui sous le nom de Mac plutôt que Larry !

Il fallait que cela cesse, et vite, se dit-elle. S'il changeait de nom à ses yeux, il changeait d'identité... et leur relation ne pouvait que prendre une tournure dangereuse.

Il lui faudrait se forcer à l'appeler Larry, afin de se rappeler qu'ils ne se fréquentaient que pour le bien de Katie.

Aussitôt que Mac lui aurait trouvé un foyer, tous deux reprendraient leur relation d'avant. Sans baiser, et très riche en chamailleries.

Parfait.

— Ce baiser était une aberration ! Nous sortions d'un week-end éprouvant, coincés sous la neige avec le bébé... et à moins que cela ne se reproduise, nous sommes à l'abri de ce genre de... dérapage.

Mia se garda bien de préciser qu'un second baiser avait eu lieu la veille, sans tempête de neige... et en présence d'un bébé endormi. Bel exemple de stress en effet !

— Ecoute, commença Pearly...

La porte d'entrée claqua et Mac entra en trombe, Katie dans les bras.

— Prête à recommencer aujourd'hui ? lui demanda-t-il avec un sourire d'excuse.

— Aucun problème, répondit-elle, ravie.

Ce sentiment de légèreté... elle le ressentait à l'idée de passer du temps avec Katie, décida-t-elle. Cela n'avait rien à voir avec le visage souriant de Ma... De Larry !

Larry, Larry, Larry !

— Bonjour, Pearly, dit Mac.

— Je suis venue voir ton bébé, répondit-elle, lui prenant l'enfant des bras.

— Elle n'est pas à moi, corrigea-t-il précipitamment. Je suis encore pris au tribunal ce matin, mais je déjeune avec la responsable d'une agence d'adoption. Nous allons lui trouver le foyer parfait.

Mia eut soudain envie de l'en empêcher, de trouver n'importe quelle excuse qui puisse retarder le processus d'adoption. La place de Katie n'était pas avec des étrangers, mais avec lui, c'était pourtant évident !

Pearly débarrassa l'enfant de son manteau et de son chapeau.

— Regardez-moi ces cheveux ! Je n'ai pas vu de chevelure aussi flamboyante depuis des lustres… Que tu es mignonne, dit-elle à l'enfant qui souriait et gazouillait. Puis, se tournant vers Mac… Mais comment réussiras-tu à la laisser à des étrangers ?

— Elle n'est pas, et n'a jamais été à moi… Je ne la laisse donc à personne. Je fais juste ce que sa mère aurait voulu en lui cherchant une famille parfaite.

— Et si la famille parfaite… c'était toi ? Ne put s'empêcher de dire Mia.

Mac éclata de rire.

Toutefois, son rire n'était ni joyeux, ni agréable à entendre. Mia y décelait autre chose.

C'était de la douleur, elle en était persuadée.

Mac affirmait depuis le départ qu'il ne garderait pas Katie, avec un aplomb exagéré. Pourquoi ?

Ce n'était pas seulement son métier prenant qui le poussait à réagir ainsi ; son refus de garder Katie cachait un problème plus profond, elle le sentait.

— Je ne serai jamais le parent idéal, dit Mac d'un ton sans appel. Quel que soit l'enfant. Bon, je dois y aller, ajouta-t-il, visiblement mal à l'aise. Tout ira bien ?

— Bien sûr. Leland sera ravi de la revoir.

Après le départ de Mac, Pearly resta silencieuse quelques instants, Katie sur les genoux.

Silencieuse, Pearly ? Quelque chose clochait, pensa Mia.

— Elle est très belle, dit enfin la vieille dame. Il serait facile de lui donner son cœur.

— Oui, répondit Mia. C'est déjà fait.

— Il arrive parfois que l'amour vienne facilement ; si vite qu'on ne s'aperçoit même pas qu'il est là ! D'autres fois, il demande quelques efforts… Et à mon humble avis, la sorte d'amour pour laquelle on doit se battre n'en est que plus noble.

— Peut-être… Mais j'aime Katie, et c'est un sentiment très fort, sans aucun effort à l'horizon, sourit Mia.

A sa grande surprise, Pearly n'entra pas dans la polémique.

— Je n'en doute pas, dit-elle seulement en lui tendant le bébé. Bon, je ferais bien de partir, moi aussi. J'ai été ravie de rencontrer ce petit bout de chou. Pense à ce que je t'ai dit, d'accord ?

— Oui, bien sûr, promit Mia.

Elle regarda la vieille dame s'éloigner et embrassa le front de la petite fille.

Oui, Katie était facile à aimer. Nul besoin de se battre ou de faire des efforts.

Un amour simple et facile… Pourquoi chercher ailleurs ?

7.

Plus les jours passaient, plus il s'installait dans une confortable petite routine… avec Mia, songea Mac en sortant du tribunal.

Déjà jeudi ! Les enfants de Brigitta étaient guéris depuis plusieurs jours, et pourtant… Katie passait toutes ses journées au cabinet avec Mia.

Celle-ci se défendait d'avoir quelque effort à fournir. Elle ne faisait que gérer l'emploi du temps de la petite star, avait-elle proclamé en riant. Devenue la mascotte du cabinet, Katie passait de bras en bras toute la journée, à mesure que les avocats réclamaient sa visite dans leur bureau.

Leland Wagner était le pire de tous.

— Il passe son temps à me l'enlever en cachette ! s'était plainte Mia, un sourire attendri aux lèvres.

Non seulement gardait-elle Katie toute la journée, mais elle rentrait également avec eux. Tous les soirs !

En à peine une semaine, Mia s'était totalement intégrée à son rythme de vie.

Et il adorait ça.

Mac n'imaginait plus dîner sans elle. Il aimait lui raconter sa journée de travail, partager avec elle les progrès quotidiens du bébé…

La seule chose qui lui déplaisait dans cet arrangement… était le départ de Mia tous les soirs.

La maison semblait toujours vide après qu'elle fut partie, et lorsqu'il refermait la porte, la même pensée lui traversait toujours l'esprit.

Il n'avait pas réussi à lui voler de baiser.

Chaque soir, il mourait d'envie de la prendre dans ses bras et de l'embrasser à perdre haleine. Et plus encore…

Mais à chaque fois, il la laissait repartir, sans même une chaste bise sur la joue. C'était la seule conduite à avoir, se dit-il. Mia était le genre de femme qui s'engage pour la vie ; flirter avec elle serait non seulement déraisonnable, mais cruel, aussi.

Cela ne l'empêchait malheureusement pas d'y penser !

Il avait bien essayé de se convaincre que sa soudaine attirance pour Mia était artificielle, qu'il lui était tout simplement reconnaissant de son aide… Mais une petite voix lui chuchotait le contraire.

Et autant l'admettre… cette petite voix lui faisait une peur bleue.

Mac avait toujours fréquenté des femmes qui comprenaient ses règles du jeu. Elles entraient dans sa vie, mais pas trop… Et lorsque leur aventure se terminait, il ne restait que de bons souvenirs.

Mais Mia était tout sauf désinvolte. Elle cherchait une histoire qui débouche sur la phrase « ils vécurent heureux et eurent beaucoup d'enfants ».

Les sentiments de Mac, son besoin d'être avec elle, étaient donc en désaccord total avec ses principes ! Quelle mouche l'avait donc piqué ?

Plongé dans ses pensées, il faillit passer devant le cabinet sans le voir.

— Salut ! dit Mia avec un sourire lorsqu'il franchit la porte.

Si elle commençait à l'accueillir aussi chaleureusement, il n'allait jamais pouvoir lui résister, songea-t-il.

Mais il eut beau laisser des traces de neige partout dans l'entrée pour l'énerver, la jeune femme était trop occupée à lui raconter leur journée pour remarquer quoi que ce soit.

—… et elle a passé toute la journée avec « grand-père Leland ». S'il ne l'accapare pas, quelqu'un d'autre là réclame ! Il me faudrait presque leur faire signer une décharge pour suivre le mouvement…, plaisanta-elle.

Mac l'écouta poliment, mais son attention était monopolisée par une brochure posée sur son comptoir… L'université ?

— Qu'est-ce que c'est ?

Mia suivit son regard.

— Ah, ça. Je songe à reprendre mes études.

— Alors… tu nous quittes ? s'enquit-il d'une voix anormalement bourrue.

Par chance, Mia ne parut pas le remarquer.

— Non, répondit-elle en souriant. Tu ne te débarrasseras pas de moi si facilement, Larry. Je vais avoir besoin d'un salaire. Crois-le ou non, j'ai besoin de manger, comme tout le monde !

Soulagé, mais contrarié d'avoir eu si peur, Mac changea de sujet. Il n'allait tout de même pas lui avouer qu'elle lui aurait manqué !

— Je garde Katie avec moi demain, dit-il.

Mia eut l'air surpris.

— Mais pourquoi ?

— C'est l'enterrement de sa mère, s'entendit-il dire d'un ton plus abrupt qu'il ne l'aurait voulu.

— Je suis désolée, dit Mia. Je ne savais pas que c'était aujourd'hui.

— Je viens de l'apprendre moi-même de l'assistante sociale. Elle n'a pas réussi à retrouver la famille de Katie. Je ne suis pas étonné… Si Marion O'Keefe avait eu de la famille, elle ne serait pas venue me trouver.

— Mais alors… qui s'est occupé de l'enterrement ? demanda Mia. L'Etat ?

— Non, moi.

Il ne pouvait supporter l'idée que Marion O'Keefe se retrouve dans une fosse commune, enterrée par l'Etat de Pennsylvanie, sans personne pour réclamer ses cendres ou la pleurer.

Il l'avait peu connue, mais il l'admirait. L'enterrer décemment était la moindre des choses.

— Toi ?

— C'était la mère de Katie, et une excellente mère. Elle a droit à une tombe sur laquelle sa fille puisse se recueillir.

— Où se passe l'enterrement ?

Mac secoua la tête.

— Je n'ai pas fait dire de messe, il n'y aura qu'une petite cérémonie devant la tombe. Je ne sais pas si elle était croyante ou non, alors j'ai pensé qu'il valait mieux faire simple.

Mia acquiesça.

— Quand et où ? demanda-t-elle simplement.

— Au cimetière d'Erie, à midi.

— C'est ma pause-déjeuner. Je serai là.

— Tu n'es pas obligée…, commença-t-il.

— Toi non plus ! coupa Mia. Tu n'étais pas obligé d'aider cette étrangère, de devenir le tuteur de sa fille, ou d'organiser ses funérailles. Mais tu l'as fait. Je viens, un point c'est tout.

— Merci, dit-il en lui prenant la main.

Mia lui sourit.

— Tu es un type bien, Larry.

Mac n'entendit aucune ironie dans sa voix lorsqu'elle prononça son véritable prénom. Pour une fois, elle ne s'en servait pas pour le taquiner.

— Merci, Mia. Tu n'es pas mal non plus.

Prenant conscience qu'il lui tenait toujours la main, il recula.

— Peux-tu garder Katie quelques minutes encore ? J'ai quelques appels à passer.

— Tu n'as pas besoin de le demander, tu le sais bien, dit-elle. Mais quels appels ? C'est à propos de l'adoption ?

— Non… J'ai en effet rencontré des personnes de l'agence, mais je ne suis pas sûr de vouloir passer par eux, finalement. Je réfléchis encore.

Il avait les formulaires… Il ne lui restait plus qu'à les signer, et la machine serait lancée.

Plus tôt il les signerait, plus vite Katie serait élevée au sein d'une vraie famille, songea-t-il. Seulement… Comment être sûr que cette agence lui trouverait de bons parents ?

Oh, bien sûr, il pouvait participer… Il aurait le droit d'assister aux entretiens, de questionner les candidats. Mais le risque de choisir de mauvais tuteurs pour Katie n'en restait pas moins entier. S'il la confiait à une famille, et qu'elle s'en occupait mal ?

C'était tout simplement hors de question.

D'une façon ou d'une autre, il devait s'assurer que Katie ait les parents qu'elle méritait. Les meilleurs.

— Songerais-tu à la garder ? s'enquit Mia, d'une voix pleine d'espoir.

— Non.

Mac tourna les talons et monta dans son bureau sans plus d'explications.

Non, se répéta-t-il. Il ne savait peut-être pas comment assurer le bonheur de Katie, mais elle méritait beaucoup mieux que ce qu'il avait à offrir.

Il trouverait un autre moyen, voilà tout.

Mia le regarda s'éloigner, interdite. Sa question avait visiblement énervé Mac.

Enerver Mac, sans même l'avoir voulu ? L'ancienne Mia aurait considéré cela comme un bonus ! Mais plus aujourd'hui...

Mia regarda l'enfant qui dormait dans son siège-auto.

— Il ne veut pas te laisser partir, et c'est peut-être justement pour cela qu'il *va* te laisser partir, dit-elle doucement. Mais pourquoi ?

Elle n'avait jamais compris cet homme ; qu'elle se sente plus proche de lui n'avait en rien changé cet état de fait.

Il était comme un puzzle, songea-t-elle. Un puzzle très énervant ! Chaque fois qu'elle croyait avoir trouvé toutes les pièces, l'image d'ensemble la laissait plus perplexe encore.

Mais après cette agréable semaine passée en sa compagnie, il était hors de question de baisser les bras !

Allons, elle avait autre chose à faire que de se torturer l'esprit pour l'instant, se dit-elle.

Elle avait plusieurs appels à passer.

Mac serait certainement furieux, il détestait demander de l'aide...

Mais Mia ne s'encombrait pas de tels scrupules.

Elle allait donc le faire à sa place, et lorsqu'il se fâcherait, elle lui expliquerait que c'était pour le bien de Katie.

Quoi qu'il en dise, Mac ferait n'importe quoi pour Katie, elle en était intimement persuadée.

*
* *

Mac rejoignit sa voiture, serrant fermement Katie contre lui, puis jeta de nouveau un regard par-dessus son épaule, perplexe.

Vraiment, il ne comprenait pas.

Il faisait un temps glacial, et une nouvelle tempête menaçait d'éclater au-dessus du lac. Ce n'était certainement pas le moment de rester dehors…

Pourtant, la moitié des habitants du *Square* s'étaient privés de déjeuner pour assister aux funérailles de Marion O'Keefe.

Les membres du cabinet, ainsi que Pearly et ses meilleures amies, Mabel et Josie, Libby, Josh, Louisa, Joe…tous étaient venus à l'enterrement d'une femme qu'ils n'avaient jamais vue de leur vie.

— Tu les as appelés, n'est-ce pas ? dit-il à Mia lorsqu'elle l'eut rejoint.

— Ne te fâche pas…

— Je n'avais pas besoin d'eux. J'aurais…

— Je sais, coupa-t-elle sèchement. Le grand Larry MacKenzie n'a besoin de personne, et ne veut de personne dans sa vie. Eh bien, sache que je ne l'ai pas fait pour toi, mais pour Katie. Un jour, tu pourras lui dire qu'il y avait du monde aux funérailles de sa maman. Et des fleurs ! Becca a fait du bon travail.

En arrivant, Mac avait été frappé par la multitude de couronnes de toutes tailles massées autour de la tombe. Il comprenait mieux, maintenant ; Mia avait même appelé la fleuriste !

— Lorsqu'elle sera grande, Katie sera contente de savoir qu'on a dit au revoir à sa maman pour elle, ajouta Mia d'un ton plus doux.

— Ah. Je n'avais pas pensé à cela… Ils sont venus pour Katie.

Il jeta un dernier regard au petit groupe qui se dirigeait lentement vers leurs voitures.

Ils étaient venus pour l'enfant. Cela, il pouvait le comprendre, songea-t-il avec soulagement.

— Non, rétorqua Mia. Ils sont venus pour toi.

— Moi ?

Décidément, cette femme avait le don de le décontenancer ! Ne venait-elle pas de lui dire que…

Renonçant à comprendre, il attacha Katie dans son siège-auto. Lorsqu'il se releva, Mia lui toucha doucement la joue.

— Mac, je ne crois pas que tu aies conscience du nombre d'amis que tu as, dit-elle.

— Je n'ai rien demandé, répondit-il, soudain nerveux devant tous ces gens.

— Non, bien sûr. Tu ne demandes jamais rien. Mais moi je l'ai fait. Pour toi, pour Katie, et pour Marion O'Keefe. Je pense comme toi que la maman de Katie était une femme exceptionnelle.

La panique qui s'était éveillée en lui se calma quelque peu. Marion et Katie ; voilà pourquoi tout ce monde s'était déplacé ! La seule idée qu'ils aient pu venir pour lui le remplissait d'angoisse.

Une telle marque d'amitié impliquait des responsabilités qu'il n'était pas prêt à assumer. Accepter un service, c'était risquer qu'on lui demande un jour de le rendre, et il ne le pourrait peut-être pas. Il les décevrait…

Le manque de fiabilité faisait partie de son patrimoine génétique. Mac avait beau lutter, rester vigilant, il ne se faisait pas entièrement confiance. Hors de question, par conséquent, de laisser autrui compter sur lui.

— Je connaissais à peine Marion O'Keefe, mais oui, je crois honnêtement que c'était une grande dame, répondit-il.

Elle n'était pas la seule, d'ailleurs…

Mac prit la main de Mia dans la sienne et lui sourit, espérant qu'elle comprendrait à quel point il appréciait son geste d'aujourd'hui.

Elle lui rendit son sourire.

— Tu rentres au bureau ?

— Oui, j'ai pris pas mal de retard ces derniers temps. Mais on dîne ensemble ensuite ?

Tous les jours, il lui posait la question, et tous les jours, il retenait sa respiration en attendant la réponse.

— D'accord.

Il expira et lui sourit.

— Mais ce soir, c'est moi qui cuisine, insista-t-elle. Je crois que nous avons goûté tous les plats à emporter de la ville !

— Nous pourrions reprendre des Tacos, je sais que ce sont tes préférés.

Il savait même ce qu'elle choisirait… Des nachos, avec toutes les garnitures possibles… Et ce plat au poulet qu'elle affectionnait tant.

— Même un grand favori perd de sa saveur si on le mange trop souvent. Je peux cuisiner, tu sais. Tu n'as pas peur de goûter ma cuisine, dis-moi ? s'enquit-elle après une courte pause.

Une question piège, se dit-il en s'installant au volant. Mia attacha sa ceinture de sécurité puis se tourna vers lui, une lueur malicieuse dans les yeux.

— Alors ?

— Cela dépend… Sais-tu cuisiner ?

— J'ai grandi avec deux frères. Deux frères gourmands, qui plus est. Bien sûr que je sais cuisiner ! J'ai stocké tout ce dont j'aurais besoin dans ma voiture, ce matin.

Elle avait donc prévu de venir chez lui ce soir…

110

Non, pas chez lui, chez Katie. Mia venait voir Katie, il ne devait pas l'oublier. Mais il prit conscience qu'il souriait malgré lui.

— Et qu'y a-t-il au menu ?

— Ma célébrissime soupe de pommes de terre. Enfin, si tu aimes la soupe… sinon, j'ai bien peur qu'il faille commander des nachos.

— Par ce temps, une soupe paraît très alléchante.

— On se retrouve après le travail ?

— Très bien.

Parfait, même. Il avait hâte de dîner avec elle, quel que soit le plat. Cette pensée le dérangeait, mais pas assez pour annuler leur rendez-vous.

A la vérité, il n'aurait annulé pour rien au monde.

Le grand Larry MacKenzie n'a besoin de personne, et ne veut de personne dans sa vie.

Elle avait prononcé ces mots sans réfléchir… Ils étaient néanmoins vrais, songea Mia. La phrase lui avait trotté dans la tête toute la journée, et la poursuivait encore tandis qu'elle préparait leur dîner.

Mac ne voulait pas se laisser approcher. Oh, il ne jouait pas les ermites ! Il discutait, plaisantait, mais ne laissait personne entrer réellement dans sa vie.

Et même s'il passait ses soirées avec elle, s'il se sentait visiblement à l'aise en sa compagnie… Mia devait bien admettre qu'il la tenait à distance, elle aussi.

A part cette anecdote d'enfance sur ses acrobaties avec un matelas, Mac n'avait rien dit de son passé.

Mia touilla la soupe avec un peu plus d'énergie que nécessaire. Pourquoi se sentait-elle vexée d'être traitée comme tous les autres ?

— C'est prêt ! s'écria-t-elle.

Elle posa les bols de soupe sur la table, ainsi que du pain et du gruyère râpé.

Mac entra, Katie dans les bras.

— Hum ! dit-il. Je ne sais pas si c'est bon, mais l'odeur est alléchante, en tout cas !

Mia adorait le voir porter Katie.

Au moins, avec la petite, il ne gardait aucune distance. Peut-être le croyait-il… mais il était fou de Katie O'Keefe, cela crevait les yeux.

— Veux-tu que je m'occupe d'elle, le temps que tu manges ?

— Ce n'est pas la peine. Mais je veux bien que tu me beurres une tartine. Je peux manger d'une main, mais pour le reste…

Mia rit et entreprit de lui beurrer son pain.

— Hum, dit-il après la première bouchée, tu n'as pas menti ! Tu cuisines très bien…

— Comme je te l'ai dit, avoir deux frères dotés de puits sans fin en guise d'estomacs m'a forcée à apprendre… Je ne fais rien de très sophistiqué, mais c'est nourrissant.

Ils mangèrent en silence, Katie babillant gaiement sur les genoux de Mac. Mia ne pouvait s'empêcher de les observer à la dérobée. Ils avaient l'air si bien, tous les deux !

Comment Mac pouvait-il l'ignorer ?

— Alors, tes recherches avancent-elles ? s'enquit-elle.

— J'ai commencé à chercher, mais j'ai du mal à accepter l'idée de la confier à des étrangers. La solution idéale serait de la faire adopter par quelqu'un que je connais, qui me laisserait jouer les oncles et la gâter un peu. Quelqu'un…

Il s'interrompit, visiblement perdu dans ses pensées.

— Mac ?

— J'ai une idée ! s'écria-t-il.

— Laquelle ?

— Non, je ne peux rien avancer pour l'instant. Laisse-moi la peaufiner un peu avant de t'en dire plus, murmura-t-il, les yeux dans le vague.

— Mais Mac…

Après ce qui sembla une éternité à Mia, Mac sembla revenir sur terre, et éclata de rire.

— Tu sais, j'ai appris à te connaître, ces derniers temps. Je sais que tu es douée avec les enfants, que tu sais cuisiner… et que la patience n'est pas ton fort !

— En effet ! s'exclama-t-elle.

Mia assumait pleinement ce trait de caractère ; elle détestait attendre.

— Je te le dirai bientôt. J'ai juste besoin d'y penser encore un peu, de voir si cela pourrait fonctionner.

Mia soupira.

— D'accord.

— Mais parlons plutôt de tes études…

— Tu changes de sujet !

Mac lui offrit un large sourire.

— Oui, tout à fait.

Quelle que soit l'idée qu'il avait eue, cela semblait l'avoir mis d'excellente humeur.

— L'université… Allez, raconte ! insista-t-il.

— Que dire ? Je songe sérieusement à y retourner cet automne, voilà tout.

— A plein temps ?

— Non, juste le soir et les week-ends. J'en ai parlé à M. Wagner. Il dit que si j'ai un jour besoin d'assister à des cours en journée, nous nous arrangerons. Hanni et Liesl ont toutes les deux offert de me remplacer de temps en temps.

— Combien d'U.V. te manque-t-il pour obtenir ton diplôme ?

— L'équivalent d'un an d'études. Puis je serais professeur stagiaire, et enfin, titulaire.

— Professeur ?

Il avait l'air surpris. Mia se prépara à subir ses moqueries, mais il se contenta d'ajouter :

— Tu seras parfaite.

— Je ne sais pas… Mais j'aime les enfants. Un jour, j'en aurai trois ou quatre.

— Quatre ?

Mia éclata de rire.

— Je sais, la mode des familles nombreuses se perd, mais je ne peux pas imaginer ce que serait la vie sans mes frères. Lorsque j'aurai des enfants, je veux qu'ils connaissent les joies de la fratrie.

— Mais tu as tant sacrifié pour tes frères… Tu as dû mettre tous tes rêves de côté. Si tu avais été fille unique, tu n'aurais eu à te soucier que de ton avenir…

— Etre enfant unique représente peut-être moins de soucis, mais… quelle solitude ! Quoi que j'aie fait pour mes frères, cela en valait la peine. Marty et Ryan méritaient d'avoir une chance de…

— Mais toi ? insista Mac. Méritais-tu de quitter l'école, de renoncer à tes projets ?

— Je les ai juste mis de côté. Et maintenant que les garçons sont sortis d'affaire, c'est mon tour. Je vais passer mon diplôme, enseigner…

— Et trouver un homme qui ne te méritera sans doute pas, l'épouser, lui faire des enfants et sacrifier tes rêves de nouveau… C'est *ça* ton projet ?

— Mac, quand on aime et qu'on est aimé, il n'est pas question de sacrifice. On reçoit tellement plus qu'on ne perd ! Voir Marty et Ryan réussir, sachant que je les ai aidés à concrétiser

114

leurs rêves… C'est gratifiant. Ils avaient besoin de moi lorsque maman est morte, et j'étais là pour eux.

Mac n'eut pas l'air convaincu.

Mia se sentit triste pour lui. Vivre si seul, sans jamais se permettre de compter sur autrui… Jamais elle ne pourrait le supporter !

— Puisque j'ai cuisiné, tu fais la vaisselle et je couche Katie, dit-elle pour couper court à la polémique.

Mia comptait peut-être rester au cabinet le temps de finir ses études, mais elle le quitterait une fois le diplôme en poche, songea Mac tout en récurant les casseroles. Elle partirait faire le métier dont elle avait toujours rêvé. Il était content pour elle.

Pourtant… avec qui se chamaillerait-il ? Il ne le lui avouerait jamais, mais elle apportait de la vie au cabinet. Elle le stimulait, aussi.

Mia allait lui manquer… Comment Diable était-ce possible ?

— Elle s'est endormie avant même que je la couche dans son berceau…

Il ne l'avait pas entendue revenir. Encore heureux qu'il n'ait pas pensé à haute voix !

—… elle se réveillera sans doute dans peu de temps pour réclamer son biberon, continua-t-elle.

— Cela ne me dérange pas. J'aime bien le dernier biberon ; au calme, dans la pénombre. Elle a pris l'habitude de s'accrocher à ma chemise, comme si elle avait peur que je disparaisse.

Mac prit conscience de ce qu'il venait de dire et eut un sursaut de fierté.

— Pardon, dit-il. C'était un commentaire bien trop sentimental.

— Pas du tout ! J'aime entr'apercevoir ce qui se passe dans ta tête, dit-elle en le regardant d'un air attendri.

Mac avait déjà fait l'expérience de ce genre de regard...

Et ce n'était jamais bon signe.

— Arrête, dit-il.

— Quoi ?

— Arrête de me regarder comme ça.

— Mais comment ?

— Comme si tu avais envie de m'embrasser.

Aussi troublante que fût cette idée, le fait qu'il en avait très envie aussi l'était plus encore.

— T'embêter ? Mac, je ne peux pas m'en empêcher ! Chaque fois que je te regarde, j'ai envie de t'em...bêter.

Elle faisait semblant de ne pas le comprendre, et tous deux le savaient.

— *Embrasser*, répéta-t-il en articulant. Tu as envie de m'embrasser.

— Non, mais j'ai envie de rentrer chez moi et de me détendre.

— Ne peux-tu pas te relaxer ici ?

— A côté de toi ? C'est difficile, voire impossible.

— Ah, et quelle en est la raison, à ton avis ?

— Parce que... *tu* es impossible.

— Non. Je pense que tu ne peux pas te détendre en ma compagnie parce que tu as envie de m'embrasser, insista-t-il, franchement amusé à présent.

— Mac...

Mais Mac se pencha sur elle avant qu'elle ait pu protester, et posa ses lèvres sur les siennes.

Mia se laissa aller contre lui, puis l'entoura de ses bras et approfondit leur baiser. Elle goûta ses lèvres, les titilla, les mordilla jusqu'à ce qu'il croie devenir fou de désir.

N'y tenant plus, il la souleva et la porta dans le salon.

— Nous devrions nous arrêter…, murmura-t-elle.

— Probablement, dit-il, l'embrassant de plus belle.

Il s'installa sur le canapé, Mia sur les genoux. Ses mains glissèrent sous le chemisier de la jeune femme, s'arrêtèrent un instant sur la peau tendre de son ventre, puis montèrent vers sa poitrine.

Il voulait explorer chaque parcelle de son corps. Il voulait…

— Ouiiiiin !

Tous deux sursautèrent violemment. Mia bondit du canapé.

— Tu devrais aller voir ce qu'elle a. Et… je ferais mieux de rentrer, dit-elle.

— Mia, nous devons parler…

— Plus tard. Pour l'instant, je dois partir, et Katie a besoin de toi.

Bon sang, quelle malchance ! songea Mac tandis qu'elle s'enfuyait.

Se ressaisissant, il courut auprès de Katie, qu'il trouva assise dans son berceau, l'air triste et abandonné.

Mac la prit dans ses bras et la berça.

Il comprenait parfaitement ce qu'elle ressentait : chaque fois que Mia quittait la maison, il se sentait triste et abandonné, lui aussi.

Et il n'aimait pas ça du tout.

8.

Un bruit strident tira Mia du rêve le plus érotique qu'elle ait jamais fait. Mac laissait courir ses mains le long de…

Le bruit reprit, plus longtemps cette fois.

La jeune femme se força à ouvrir les yeux et jeta à son réveil un regard plein de reproches. Mais ce n'était pas lui le coupable… il se contentait de donner l'heure en silence.

9 heures !

9 heures du matin, un samedi, et quelqu'un sonnait à sa porte ?

Poussant un soupir irrité, Mia enfouit sa tête sous l'oreiller. Elle avait à peine dormi de la nuit, se retournant dans son lit pendant des heures, repensant à sa soirée avec Mac…

Et elle n'était enfin parvenue à trouver le sommeil… que pour mieux rêver de lui !

Elle avait rêvé qu'ils s'embrassaient. Et plus encore.

De ses mains sur son corps, et ensuite…

Quel rêve perturbant !

Tout comme cette sonnette qui retentissait toujours.

Mia se leva enfin, enfila une robe de chambre et descendit l'escalier en grommelant. Au diable les rêves de Mac et les stupides sonnettes !

Elle ouvrit la porte et jeta un regard noir à celui qui osait la réveiller.

— Surprise !

Mac. Elle aurait dû s'en douter.

Il portait Katie d'une main, et un grand sac de papier blanc de l'autre.

— Alors, tu es prête ? demanda-t-il d'un ton jovial.

Sur ces mots, il entra sans attendre d'y être invité.

Elle l'aurait bien étranglé, mais il fut sauvé par la présence de Katie… et de ce mystérieux sac qui semblait contenir quelque chose d'intéressant.

— La terre appelle Mia… Es-tu prête ? répéta-t-il.

— Oui, tout à fait ! Prête à retourner me coucher, grommela-t-elle, les yeux rivés sur le sac qu'il tenait toujours à la main.

— Oh non, tu viens avec nous ! On a une surprise pour toi, et il fait un temps magnifique aujourd'hui, parfait pour une balade.

— Non, c'est un temps à… rester au lit, insista-t-elle.

Et elle y retournerait ! Juste après avoir découvert ce qu'il cachait dans ce sac. C'était une friandise, elle était prête à le parier.

— Tu n'es pas du matin, n'est-ce pas ?

Le sac se balançait gaiement dans la main de Mac ; il semblait la narguer.

Peut-être des viennoiseries ?

— Cela t'aiderait à te réveiller si je te disais que j'ai apporté des beignets ? insista Mac.

Ah, des beignets !

Mia sentit son humeur changer.

— Tout dépend quel parfum, dit-elle.

— Fourrés au chocolat.

— D'accord, cela pourrait me tenter…

— Et nous savons que te tenter est ma spécialité !

119

Plaçant les beignets sur la table, il entreprit de déshabiller Katie.

— Non, ta spécialité est de m'énerver, dit-elle en ouvrant le sac. Dis, ça sent bon !

— Si je t'énerve si facilement, pourquoi as-tu sans cesse envie de m'embrasser ? C'est une énigme fort intéressante... non ?

— Larry...

Plutôt que d'entamer une joute oratoire, Mia préféra mordre à pleines dents dans son beignet et poussa un soupir de satisfaction.

Lorsqu'elle releva les yeux, elle rit de le voir tressaillir.

— Je pensais que tu avais abandonné cette mauvaise habitude pour m'appeler Mac, comme tout le monde, dit-il d'un ton de reproche.

— Je ne suis pas assez bête pour baisser *totalement* les armes, dit-elle.

Emportant son beignet, elle se leva pour préparer du café tandis que Mac sortait Katie de son siège.

— Mmm..., dit-elle après sa seconde bouchée. Tu es peut-être agaçant, mais je dois reconnaître que tu sais faire de bonnes surprises.

— Les beignets ? Non, ce n'est que le petit déjeuner ! La surprise est encore à venir.

Mac avait l'air bien trop content de lui, songea Mia. Cela cachait sans doute quelque chose...

— Dans ce cas, où est-elle ?

— Va t'habiller, et je t'emmène la voir.

— Oh, je ne sais pas si j'ai envie de te suivre, Larry. Cette étincelle dans tes yeux ne me dit rien qui vaille.

— Méfiante ?

— Nerveuse, plutôt.

120

Bien des côtés de Mac la rendaient nerveuse, d'ailleurs. Son charme, sa générosité… et le fait qu'elle ait soudain envie de planter un gros baiser sur sa joue, la rendaient bien plus nerveuse que cette fameuse surprise.

— Cours prendre ta douche, ainsi tu ne verras plus mes yeux !

— Bon, d'accord.

Prenant une dernière bouchée de son beignet, elle se rendit à la salle de bains, curieuse de savoir ce que Mac lui réservait.

Et malgré toutes ses bonnes intentions, elle ne put s'empêcher d'espérer qu'il serait aussi question de baisers… voire plus.

— Mais où diable allons-nous ? s'enquit Mia pour la énième fois.

Mac prit un air innocent et tourna dans Peach Street.

— Tu ne me fais donc pas confiance ?

— Pas vraiment… Larry.

Mac nota avec plaisir qu'elle prononçait son nom d'une voix taquine, cette fois.

— Ne t'inquiète pas, nous sommes arrivés. Ferme les yeux.

Le parking n'était pas encore trop encombré pour un samedi ; Mac n'eut aucun mal à garer son Voyager à l'endroit qui conviendrait le mieux pour sa surprise.

Il se sentait comme un enfant le matin de Noël.

— Allons, Larry, est-ce bien nécessaire ?

— Ferme les yeux !

Elle soupira mais obéit. Qui eût cru qu'un jour Amelia Gallagher l'écouterait ?

— Encore une minute, dit-il.

Il sortit et contourna la voiture pour lui ouvrir la portière.

— Viens !

— Mais on ne peut pas laisser le bébé...

— Nous n'allons nulle part. Ne t'inquiète pas pour elle.

Une main sur son épaule et l'autre sur ses yeux, il l'aida à sortir du Voyager.

— Mac, c'est ridi...

— Ouvre les yeux !

Mia s'exécuta, regarda autour d'elle, puis se tourna vers lui.

— Je ne vois rien... c'est un parking plein de voitures ! dit-elle.

— Justement, tu m'as dit que tu en cherchais une. Que penses-tu de celle-ci ? s'enquit-il, désignant du doigt la voiture voisine. Une jeep Cherokee. Quatre roues motrices. Sièges chauffants en cuir et... démarrage à distance ! Elle a deux ans ; elle coûtera moins cher qu'une neuve, et elle est en parfait état.

— Mais...

— Tu n'es pas obligée de l'acheter. Seulement, elle correspond à ta description... alors j'ai pensé te la montrer avant que mon ami Franck ne la mette en vente.

— Si elle n'est pas encore sur le marché de l'occasion, comment l'as-tu trouvée ?

— Euh... Franck vend des voitures d'occasion. Lorsque tu m'as dit que tu en cherchais une, j'ai l'ai appelé afin qu'il me prévienne si quelque chose d'intéressant se présentait.

Mia resta sans voix, les yeux fixés sur la jeep.

— Pourquoi ne pas l'essayer ? Frank m'a donné les clés...

— Tu t'es donné beaucoup de mal pour m'organiser cette surprise, dit-elle lentement.

Elle lui jeta un drôle de regard qui le mit instantanément mal à l'aise.

— Mais non ! Frank est un ami, je n'ai fait que lui suggérer cela en passant.

— Tout de même. C'est gentil, dit-elle en secouant la tête. Mac, tu es… Allons, je suppose qu'un petit tour en voiture ne peut pas faire de mal.

Mac aurait bien aimé qu'elle finisse sa phrase… Qu'était-il, au juste ? N'osant lui demander, il lui tendit la télécommande et retourna à son Voyager.

— Allons-y ! proposa-t-il. Laisse-moi juste mettre Katie dans la jeep. Appuie sur le bouton de gauche pour faire démarrer la voiture ; celui de droite enclenche les sièges chauffants.

Lorsqu'il eut terminé, Mia était toujours au même endroit, les yeux fixés sur le véhicule.

— Mia, dit-il. Tu comptes te mettre au volant ou rester là, à la contempler ?

— Euh… j'arrive.

Tandis qu'il s'installait sur le siège passager, il entendit Mia pousser un petit soupir de contentement.

Elle se tourna vers lui, un grand sourire aux lèvres. Mac sentit son cœur chavirer.

Il eut soudain envie de se pencher pour l'embrasser, mais cela ne le surprit pas.

Lorsqu'elle lui avait ouvert la porte en robe de chambre élimée, les cheveux en bataille, il avait eu envie de l'embrasser.

Chaque fois qu'elle riait avec lui, qu'elle lui lançait une pique… Il avait envie de l'embrasser.

Envie… ou besoin ?

Mac prit conscience qu'il tenait la main de Mia dans la sienne. Cela lui arrivait de plus en plus souvent, songea-t-il avec inquiétude ; il lui touchait le bras ou l'épaule sans même y songer.

— Prête ? dit-il en lui lâchant la main.

— Où allons-nous ?

— Où tu veux ! Je dois la ramener à Franck dans une heure environ. Tu as jusque-là pour décider si elle te plaît.

— Pourquoi ?

— Tout simplement parce que si tu n'en veux pas, il essaiera de la vendre dès aujourd'hui, alors que si...

— Non, pourquoi te donnes-tu tant de mal pour moi ?

Mac n'aimait pas du tout la façon dont elle le regardait. C'était encore un de ces regards tendres et chaleureux... dangereux.

Il ne voulait pas qu'elle le contemple ainsi, ni avoir le réflexe de la toucher...

Il ne voulait pas rêver d'elle, avoir envie de l'appeler toutes les cinq minutes...

Il ne voulait pas avoir besoin de la voir, de l'entendre rire, de la voir sourire.

Bon sang ! Dans quel pétrin s'était-il mis ?

Peut-être pourrait-il la mettre en garde contre lui ? songea-t-il. Mais la dernière fois, elle lui avait ri au nez.

Et d'ailleurs, à quoi cela servirait-il... *Qui* le mettrait en garde, lui ?

— Je ne me suis donné aucun mal, dit-il. Je discutais avec Franck, et j'ai tout simplement mentionné qu'une de mes amies cherchait une voiture. Il m'en a demandé une description d'ensemble, et m'a rappelé hier soir, c'est tout.

— Mais pourquoi te sens-tu concerné ?

— Je n'en sais rien ! Ne va pas te faire d'idées...

Il s'attendait que Mia éclate de rire. Elle n'en fit rien, ne répondit même pas, et se contenta de le fixer attentivement.

— Peut-être avais-je envie que Franck touche une jolie commission sur ton dos ? dit-il.

Là, voilà qui la mettrait de méchante humeur !

— Je ne crois pas, dit-elle doucement.

— Bon... Alors, peut-être est-ce tout simplement que je n'aimais pas te voir conduire cette vieille guimbarde ; les rues d'Erie sont glissantes en hiver, et je me sentirais mieux si tu conduisais une voiture fiable, c'est tout.

— Mais...

— Pourquoi veux-tu à tout prix savoir ce qui m'a poussé à t'aider ? Tu es assise au volant d'une voiture qui possède tous les gadgets dont tu rêvais, et le bébé ne pleure même pas ; arrête un peu de me questionner... Conduis !

Mia lui lança un dernier regard pensif, puis sortit la voiture du parking.

— Je vais vérifier si la radio fonctionne, dit-il en l'allumant.

Il voulait surtout empêcher Mia de poser des questions dont il ignorait les réponses.

— Alors, qu'en pensez-vous ? s'enquit Franck.

Ce qu'elle en pensait ? Mia jeta un regard à Mac, qui tenait Katie dans ses bras.

Elle pensait que c'était étonnamment facile d'apprendre à apprécier cet homme.

Pour être honnête... ce qu'elle ressentait était plus fort, plus profond.

Cela ressemblait un peu trop à de... l'amour.

Le mot fatidique ne cessait de lui venir à l'esprit ces derniers jours...

Aimer Mac... *Larry MacKenzie* ? Ridicule !

Et pourtant... Mia soupira, forcée d'admettre l'évidence.

Elle était amoureuse de Larry Mackenzie.

Ce sentiment était entré dans son cœur discrètement, sans crier gare. Et elle ne s'était pas méfiée, persuadée qu'aimer Mac lui serait impossible.

Mon Dieu, il l'avait mise en garde, et elle lui avait ri au nez...

« Rira bien qui rira le dernier », disait l'adage. Mia craignait que Mac ne soit le dernier à rire.

Car s'il était plus facile de tomber amoureuse de Mac qu'elle ne l'avait d'abord cru, l'amener à se laisser aimer d'elle... demanderait beaucoup d'efforts.

Prendrait-elle ce risque ?

La voix de Mac la tira de sa rêverie.

— Mia... Mia ! Réponds, que penses-tu de la voiture ?

— Je le prends.

— Pardon ?

— Euh... je *la* prends. La voiture.

Oui, elle prendrait le risque d'aimer cet homme. Un homme qui ne se laisserait peut-être jamais approcher suffisamment pour l'aimer en retour.

9.

Mac se tenait devant son bureau, l'air mal à l'aise.

Elle avait pourtant plus de raisons d'être gênée que lui, songea Mia.

La semaine avait été… longue.

Katie était restée chez Brigitta dans la journée, mais tous les soirs après le travail, Mia s'était rendue chez Mac dans sa belle voiture neuve pour l'aider à s'occuper du bébé et partager son repas.

Chaque soir, elle avait ressenti le besoin impérieux de lui avouer ses sentiments. Mais elle n'en avait rien fait.

Tout comme elle mourait d'envie de lui caresser la joue à présent, pour le rassurer… Elle n'en avait pas le droit.

— Tu as besoin de quelque chose ? dit-elle.

— Euh…

— Oui ?

— Voilà, je vais à Pittsburgh demain matin.

— Et tu voudrais que je garde Katie ?

Un jour entier avec le bébé, et sans la tension omniprésente qu'elle ressentait en compagnie de Mac…

Elle adorerait cela !

Maintenant que le bébé était gardé par Brigitta, passer ses journées avec Katie lui manquait. Oh, elle la voyait toujours le soir, mais ses nouveaux sentiments pour Mac avaient transformé leurs soirées de détente en source de stress. Mia était si mal à l'aise qu'elle ne profitait pas vraiment de ces moments avec la petite.

Oui, une journée seule avec Katie lui ferait très plaisir !

— Non, dit-il, tuant ses espoirs dans l'œuf. Mais j'aimerais que tu viennes avec nous. Tu pourrais conduire et tester ta nouvelle jeep sur l'autoroute, qu'en dis-tu ?

— Pourquoi Pittsburgh ?

— Nous allons juste dîner chez les Zumigalas… Si tu es prise, ce n'est pas grave…

Mais *c'était* grave, Mia le lut sur son visage.

Il ne l'invitait absolument pas à tester les limites de sa voiture !

Mac l'emmenait rencontrer les Zumigalas. Cette famille avait visiblement une grande importance à ses yeux, Mia l'avait remarqué à la façon dont sa voix s'adoucissait lorsqu'il parlait d'eux.

Ils étaient son talon d'Achille.

Larry Mackenzie se montrait sociable, soit : mais il avait peu d'amis ; il gardait ses distances.

Mais pas avec les Zumigalas.

Et maintenant, il voulait les lui présenter ?

A cette pensée, Mia ressentit une bouffée d'espoir. En rencontrant les Zumigalas, elle découvrirait certainement comment ils avaient réussi à apprivoiser Mac… peut-être même pourrait-elle apprendre à l'approcher, elle aussi ?

— J'adorerais faire leur connaissance, si tu es certain que je ne vous dérange pas…

— Sans oublier qu'avec les mauvaises habitudes de Katie en voiture, il vaut mieux voyager à plusieurs.

Mia sentit sa joie s'évanouir.

128

Mac n'avait aucune intention de la laisser approcher. Il ne l'emmenait pas pour lui entrebâiller la porte de son passé, mais parce qu'il avait besoin d'une baby-sitter !

Au prix d'un grand effort, elle réussit toutefois à garder le sourire.

— A quelle heure partons-nous ?

— Pourrais-tu être prête dès 8 heures ? Nous avons beaucoup de route…

— Très bien…

Le lendemain matin, Mia fut prête aux aurores, trop nerveuse pour paresser au lit. Les personnes qu'elle allait rencontrer aujourd'hui détenaient la clé du cœur de Mac. Peut-être ne l'obtiendrait-elle jamais, mais il lui fallait essayer.

Et si elle découvrait que ses sentiments pour lui étaient factices, amplifiés par tous ces moments passés ensemble ? Après tout, dès l'instant où Mac placerait Katie dans une famille d'accueil, elle ne le verrait plus…

Avec un peu de chance, elle prendrait alors conscience qu'elle n'était pas amoureuse, et que la vague qui l'avait submergée n'était qu'une illusion.

Poussant un soupir d'exaspération, Mia se rendit à l'évidence ; pourquoi se mentir à elle-même ?

Ses sentiments pour Mac ne cessaient de grandir. Il n'avait pas cherché à la séduire, mais ses petites attentions la touchaient profondément. Il lui avait acheté un manteau, lui avait trouvé une voiture, se comportait en père avec Katie et avait accepté d'aider Marion O'Keefe, une parfaite étrangère.

Bien sûr, Mia eût préféré que son amour pour Mac ne soit qu'un mirage, mais il n'en était rien.

Des pneus crissèrent sur le gravier de son allée. Mettant ses doutes de côté, elle enfila son manteau et se précipita dehors.

— Tu es rapide ! La plupart des femmes aiment se faire attendre.

— Je ne suis pas la plupart des femmes, répondit-elle en riant.

A sa grande surprise, Mac n'en profita pas pour la taquiner.

— Non, en effet, dit-il simplement.

Abasourdie, Mia s'installa au volant, le cœur léger.

Une fois sur l'autoroute, elle eut envie de questionner Mac, mais il ne semblait pas d'humeur bavarde ; et sans feu rouge pour perturber le sommeil de Katie, il régnait dans la voiture un silence pesant.

— Parle-moi des Zumigalas, dit-elle au bout d'un moment, n'y tenant plus.

Il ne répondit pas. Etait-ce si surprenant ? Mac n'abordait jamais de sujets personnels, de toute façon ! Consciente qu'elle devait respecter son intimité, Mia voulut abandonner le sujet, mais sa curiosité l'emporta vite.

— Est-ce avec eux que tu as vécu lorsque tu étais au lycée ? Ce sont bien les parents de Chet, n'est-ce pas ?

— Oui.

— Alors, comment sont-ils ?

Le regard de Mac se perdit dans le vague.

— M. Z. est très calme, dit-il au bout d'un moment. Il ne parle pas beaucoup, ce qui explique que lorsqu'il a quelque chose à dire, tout le monde l'écoute.

— Et madame Zumigalas ?

— Elle n'est pas silencieuse !

Tournant la tête, Mia s'aperçut qu'il souriait.

— En fait, tu me fais penser à elle parfois, ajouta-t-il.

— Est-ce une façon polie de me faire comprendre que je n'ai pas ma langue dans ma poche ?

— Moi, poli ? dit-il avec un petit rire. Non, je voulais simplement dire qu'à part toi, Mme Z. est la seule personne qui n'ait jamais peur de me faire des reproches.

— Lui en as-tu souvent donné l'occasion ?

Mac éclata de rire.

— Tu ne crois pas si bien dire !

Et contre toute attente, Mac se lança dans le récit de ses écarts de jeunesse.

Mia commençait à se réjouir d'avoir percé sa carapace quand, sans crier gare, il retomba dans son mutisme. Peut-être se reprochait-il d'en avoir trop dit.

Ils finirent le trajet en silence.

Blanche et soignée, avec ses volets vert bouteille, la maison des Zumigalas avait tout d'une carte postale. Ses deux garages accueillaient entre eux le traditionnel panier de basket et son jardin clôturé de blanc était parsemé de fleurs et de buissons.

L'image même du foyer, se dit Mia. Chet et Mac avaient certainement joué au gendarme et au voleur devant cette maison. Elle jeta un regard furtif à son compagnon. A voir son visage, il avait été heureux ici.

— C'est bon d'être chez so... chez ses amis, dit-il.

Il avait failli dire « chez soi ». Pourquoi s'était-il retenu ?

Mia n'eut pas le loisir d'y réfléchir plus avant, car la porte d'entrée s'ouvrit et une femme brune se précipita à leur rencontre.

— Mac ! dit-elle, tout sourires.

— Tu es sortie sans ton manteau, gronda ce dernier tandis qu'elle l'enlaçait.

— Mac fait une fixation sur les manteaux, dit Mia en riant.

— Vous devez être Mia ?

— Coupable ! Mais je nie toute autre accusation que Mac aurait pu faire ! Cet homme exagère tout le temps.

— Il m'a juste dit qu'il n'aurait pas réussi à s'occuper de Katie sans votre aide.

— Vous voyez ? Encore une exagération ! Il n'a besoin de personne.

— Cette conversation est passionnante, ironisa Mac, mais peut-être devrions-nous rentrer le bébé à l'intérieur ?

— Oh, mon Dieu ! s'exclama Mme Z. Qu'ai-je donc fait de mes bonnes manières ? Entrez, entrez !

Elle leur ouvrit la porte et prit leurs manteaux.

— Sal, ils sont arrivés !

Un petit homme apparut aussitôt et leur adressa un sourire plein de douceur.

— C'est bon de te voir, fiston.

— Je suis content aussi, monsieur Z.

— Allons nous installer dans le salon, dit sa femme. Je suis ravie de te voir, Mac, mais je suis surtout impatiente d'admirer le bébé !

Elle s'extasia copieusement, tandis que Mac sortait Katie de son siège-auto avec l'efficacité d'un expert.

— Qu'elle est belle ! dit-elle en tendant les bras. Laisse-moi la tenir.

Mac lui confia le bébé en riant.

— Je savais qu'il ne faudrait pas trois secondes avant que tu réclames un câlin !

— J'adore les bébés, murmura Mme Zumigalas avec un tendre sourire pour Katie, qui le lui rendit aussitôt.

— Et c'est réciproque.

Adossée dans son fauteuil, Mia les écouta parler de la pluie et du beau temps. Le sujet importait peu, songea-t-elle ; on percevait l'amour qu'ils partageaient dans chacun de leurs mots. Jamais elle n'avait vu Mac aussi à l'aise. Pas de plaisanteries pour cacher ses émotions, cette fois : il était en famille.

L'heure du dîner arriva bientôt et Mme Zumigalas se sépara à regret du bébé. Mia était passée maître dans l'art de manger avec Katie sur les genoux, sans que celle-ci ne puisse atteindre son assiette.

— On dirait que vous avez fait cela toute votre vie, dit Mme Zumigalas. Cela me rappelle l'enfance de Chet. Il aimait « participer » au repas.

— Katie aussi ! dit Mia en éclatant de rire. Je l'ai appris à mes dépens le jour où j'ai reçu un bol de soupe sur les genoux. Hors de question que cela m'arrive avec votre délicieux rôti !

— Merci. J'aime cuisiner. Depuis que les garçons sont partis, cela me manque de ne plus leur mijoter de bons petits plats.

— Peut-être devriez-vous avoir d'autres enfants, dit Mac.

Mme Zumigalas éclata de rire.

— Je ne crois pas que cela soit possible, mon chéri. Bon, c'est l'heure du dessert. Le temps de débarrasser la table et je vous sers ma fameuse mousse au chocolat. Mac adore ma mousse au chocolat, n'est-ce pas ?

— Oui, madame Z., elle est fabuleuse. Mais avant le dessert, j'aimerais vous parler à tous les deux… Mia, cela ne te dérange pas de nous laisser quelques minutes ?

Prenant Katie dans ses bras, Mia se leva instantanément.

— Bien sûr, dit-elle. Katie et moi allons regarder la télé dans le salon.

Elle lança un sourire à Mac et sortit.

*
**

Mac lui rendit son sourire, puis la regarda s'éloigner. Il n'aurait probablement pas dû l'inviter, mais il avait besoin d'elle. De son sourire, de sa présence. Dieu seul savait pourquoi, il se sentait plus rassuré.

— Qu'est-ce qui ne va pas, fiston ? demanda M. Zumigalas quand Mia fut sortie.

— Je…

Mac s'interrompit, incapable de trouver ses mots.

Depuis plusieurs jours, il tournait et retournait la question dans sa tête, ajoutant de nouveaux arguments qui puissent convaincre les Zumigalas… comme lorsqu'il préparait une plaidoirie. Mais il n'était pas au tribunal ; et maintenant que l'instant fatidique était arrivé, il perdait tous ses moyens.

— C'est à propos de Katie, dit-il enfin.

— Oh, chéri, s'écria Mme Z. d'un ton joyeux, elle est si mignonne ! Et on voit tout de suite que tu es fou d'elle. Nous sommes si contents pour toi. J'ai toujours dit qu'il te fallait une famille, n'est-ce pas, Sal ?

M. Z. acquiesça.

— Moi ? demanda Mac, incrédule. Vous croyez que je suis venu vous annoncer que je garde Katie ?

Le sourire de Mme Z. disparut.

— Ce n'est pas le cas ? Mais je ne vois pas où tu trouveras la force de t'en séparer… Je t'ai bien observé quand tu étais avec elle, et avec Mia aussi. Tous les trois… Vous allez ensemble, comme les pièces d'un puzzle. Vous êtes déjà une famille !

— Non ! rétorqua Mac avec plus de force qu'il ne l'aurait voulu.

Faire partie d'une famille ne figurait pas dans son destin, il le savait. Mac avait pensé que Mme Z. admettrait elle aussi cette évidence ; elle le connaissait si bien !

— Non, répéta-t-il plus doucement. Mia est une amie. Si tu m'avais demandé de te la décrire, le mois dernier, je n'aurais certainement pas utilisé ce terme, mais c'est un fait ; Mia est une bonne amie. Quant à Katie, eh bien… tu as raison, je l'aime de tout mon cœur. Mais c'est justement parce que je tiens à elle que je veux lui offrir les meilleurs parents possibles… Et je ne suis pas un bon candidat.

Les Zumigalas ne répondirent pas ; ils attendirent patiemment qu'il ait fini de se confier.

Attendre : ils étaient doués pour cela, songea-t-il.

Lorsqu'il avait emménagé chez eux, ils avaient attendu que Mac admette l'idée qu'ils tenaient à lui et qu'il pouvait rester. Puis lors de ses études, ils avaient attendu qu'il prenne conscience de son potentiel, écoute leurs conseils et accepte d'aller à l'université.

Prenant une grande inspiration, il se lança.

— Je voudrais vous proposer de l'adopter, dit-il d'une traite. Je veux les meilleurs parents du monde pour elle, et j'aurais beau chercher, jamais je ne trouverai mieux que vous pour l'élever. Vous deux…

Il s'interrompit, la gorge nouée par l'émotion.

— Vous n'étiez pas obligés de m'accueillir comme vous l'avez fait. Et vous ne m'avez jamais donné l'impression d'être un fardeau…

— Arrête-toi tout de suite, avant de dire quelque chose qui me donne envie de te gifler !

C'était une des phrases favorites de Mme Z quand Chet et Mac étaient adolescents. Mais elle n'aurait pas fait de mal à une mouche, et la menace les avait toujours fait sourire.

— Ecoute-moi bien, jeune homme, poursuivit-elle en le pointant du doigt. Je ne me suis visiblement pas fait comprendre par le passé, alors je vais aller droit au but. Tu n'as jamais été un fardeau. Tu étais un cadeau, est-ce clair ? A la seconde où je t'ai vu, j'ai su que je t'aimerais. Quand nous t'avons accueilli pendant l'hospitalisation de ta tante, je savais déjà qu'il serait douloureux de te laisser repartir. Ce fut un véritable soulagement d'apprendre qu'elle partait vivre en Floride et acceptait de te confier à nous. J'étais soulagée, parce que tu étais à moi. A moi, répéta-t-elle en posant une main sur sa poitrine. Je ne t'ai peut-être pas donné la vie, mais tu es à moi au même titre que Chet. Oh, tu peux m'appeler Mme Z. tant que tu veux, tu ne m'empêcheras pas de te considérer comme mon fils. Peut-être ne me considères-tu pas comme telle, mais je suis ta mère, et ce depuis le jour où nous t'avons accueilli.

Mme Z. s'adossa à son siège et croisa les bras. Du regard, elle le mettait au défi de la contredire.

Mac n'en fit rien.

Quand bien même il l'aurait voulu, il n'aurait pas pu dire un mot. Elle lui avait déjà dit qu'elle l'aimait. Jusqu'à aujourd'hui, il ne l'avait jamais vraiment crue ; Mme Z. l'aimait… comme elle aimait tout le monde.

Mais à présent… cette véhémence, cette colère dans sa voix dénotaient un sentiment plus profond que l'amour de son prochain.

— Sal et moi voulions une grande famille, poursuivit-elle, mais je n'ai pas pu avoir d'autres enfants. Je me suis longtemps révoltée contre une telle injustice. Puis tu es arrivé, et j'ai découvert que j'avais un autre fils. J'ai compris qu'on ne donne pas naissance à une famille… on la crée. Tu fais partie de ma famille.

Mac sentit une boule se former dans sa gorge.

— Peut-être est-ce la même chose pour Katie ?

— Bien sûr ! s'exclama Mme Z. Je l'accueillerai dans mon cœur, tout comme toi.

Un sentiment d'intense soulagement submergea Mac ; il ne perdrait pas Katie… pas totalement.

— Merci ! Je savais que vous l'adopteriez !

— Non.

— Non ? Mais tu viens de dire…

— … qu'elle serait la bienvenue dans la famille, oui, mais je ne peux pas l'élever pour autant ! Je ne suis plus toute jeune, et il faut savoir réagir très vite quand on surveille un petit. Avec ses cheveux roux et ses yeux pétillants, je parierais cher que Katie sera très remuante !

— Je ne comprends plus rien…

Cette solution lui avait pourtant paru parfaite ! Il avait cru que les Zumigalas tomberaient sous le charme de la petite et la garderaient. Après tout, ils l'avaient bien accueilli, lui… Katie était infiniment plus facile à aimer !

— Je ne l'adopterai pas, répéta Mme Z., mais je rêve d'avoir des petits-enfants, n'est-ce pas, Sal ?

— Et la première d'entre eux se trouve justement dans notre salon, surenchérit son mari.

— Oui, reprit Mme Z. Je la gâterai tant que je pourrai ! Tu essaieras de m'en empêcher, comme tout bon père le ferait, mais je ne t'écouterai pas.

— Je ne peux pas être père, dit Mac.

Il l'avait déjà dit à Mia, et se l'était répété un nombre incalculable de fois. Il ne pouvait être le père ni de Katie, ni d'aucun enfant.

— Pourquoi ? demanda Mme Z.

— Enfin, regarde mes parents, ma famille ! Nous ne sommes pas responsables… Mes parents m'ont abandonné, et ma tante était plus que ravie de vous laisser m'élever. C'est dans mes gènes…

— Tu n'es pas comme eux ! coupa Mme Z. Je te croyais suffisamment futé pour t'en rendre compte. Ces gens-là sont des profiteurs ; tu sais combien je déteste dire du mal d'autrui, mais ils sont égoïstes et bêtes, de surcroît. Ils ont pris ton amour, et l'ont délaissé. Tandis que toi… Tu as le plus grand cœur que j'aie jamais vu.

— Crois-moi, mon garçon, intervint M. Z. Tu ne ressembles en rien à tes géniteurs.

Mme Z. acquiesça.

— Te souviens-tu de la première fois où tu m'as montré ton bulletin de notes ?

Mac n'oublierait jamais ce jour-là.

— Tu avais l'air déçu, et tu m'as demandé si c'était le mieux que je puisse faire…

— C'est cela. Tu as admis pouvoir faire mieux. Je t'ai expliqué que de bonnes notes t'ouvriraient toutes les portes, pour choisir ton métier comme tu l'entendais. Tu m'as écouté, et tu as eu d'excellentes notes par la suite. J'étais si fière de toi.

Mac sentit son cœur enfler de joie. Il l'avait rendue fière !

— Mais, reprit-elle d'un ton sévère, tu n'appliques pas ce conseil à ta vie privée… Tu passes ton temps à claquer toutes les portes qui s'ouvrent devant toi ! Katie en est un parfait exemple.

— Mac, dit M. Z. Tu es mon fils, et je suis fier de toi. Ne laisse pas la peur t'empêcher d'accepter les cadeaux de la vie. Ce bébé… est un cadeau magnifique, inespéré.

— Et Mia aussi ! renchérit Mme Z.

— Je ne…

— Ne prends aucune décision tout de suite. Réfléchis, fiston.

Mme Z. le serra très fort dans ses bras.

— Quoi que tu décides, tu es à moi. Ne l'oublie pas. Je t'aime.

— Je t'aime aussi…

Il s'interrompit, n'osant dire le mot qui lui brûlait les lèvres depuis des années.

— … maman, murmura-t-il enfin.

A peine eut-il prononcé ce mot que Mme Z. fondit en larmes.

— Oh ! Je suis désolé, je n'aurais jamais dû…

Malgré ses yeux embués, Mme Z. trouva le moyen de lui lancer un regard sévère.

— Je t'interdis de t'excuser ! s'exclama-t-elle. Cela fait des années que j'espère t'entendre m'appeler ainsi.

— Comment ?

— Tu sais, chéri, pour un garçon brillant, tu es parfois d'une lenteur effrayante, dit-elle en sortant un mouchoir de sa poche. Tu vois bien que tu es mon fils, plaisanta-t-elle, puisque malgré cela, c'est fou comme je t'aime !

M. Z. lui donna une tape maladroite sur l'épaule.

— Moi aussi, dit-il doucement.

— Merci… papa.

Le sourire de M. Z, d'ordinaire si discret, illumina la pièce.

— Mais pour Katie…

— Non. N'en dis plus un mot, laisse-toi donc un peu de temps ! Réfléchis bien, je suis sûre que tu prendras une bonne décision. Allons rejoindre Mia avant qu'elle ne se croie abandonnée.

Mia devait se demander de quoi ils avaient parlé, songea Mac. Pourtant, elle ne lui posait aucune question…

Katie endormie à l'arrière, ils firent tout le trajet en silence. Mac était soulagé de ne pas avoir à conduire ; il eût été incapable de se concentrer sur la route ! Les yeux dans le vague, il repensa à ce que Mme Z… maman, avait dit.

Garder Katie ?

Il n'était pas sûr d'en être capable. Mais d'un autre côté, il en mourait d'envie ; la laisser partir serait une véritable torture.

Il l'aimait. De cela, il ne doutait pas. Serait-il un bon père pour autant ?

Et Mia ?

Il la regarda à la dérobée.

Elle venait à peine de finir l'éducation de ses frères. Elle avait des projets, voulait reprendre ses études. Entamer une relation sérieuse ne figurait certainement pas dans ses priorités…

Non qu'il songe à le lui proposer !

Mia coupa le moteur et Mac prit conscience qu'ils étaient arrivés. Plutôt que de descendre de voiture, elle le fixa de ses grands yeux.

— J'ai quelque chose à te dire. Quelque chose que tu n'as probablement pas envie d'entendre.

— Ne t'inquiète pas, M. et Mme Z. ne s'en sont pas privés aujourd'hui ! Je t'écoute.

— Tu m'as dit ne pas vouloir d'enfant pour ne pas risquer de reproduire sur eux le schéma parental. Je ne t'ai pas demandé de détails et… après aujourd'hui, je n'en ai plus besoin. Vois-tu, je viens juste de rencontrer tes parents… tes vrais parents. Je suis désolée, j'ai entendu une partie de votre conversion. Les Zumigalas ont raison, ce n'est pas le sang qui constitue une famille, mais l'amour. Si tu donnes à Katie ne serait-ce qu'un dixième de ce qu'ils t'ont apporté, elle sera déjà comblée.

Mia se pencha sur lui, déposa un rapide baiser sur sa joue et s'enfuit de la voiture sans lui laisser le temps de répondre.

Poussant un profond soupir, Mac transféra Katie dans sa voiture et se résigna à rentrer chez lui.

*
**

Comme sa mère adoptive le lui avait conseillé, il prit le temps de réfléchir.

Peut-être avait-il toujours confondu famille et génétique ? songea-t-il. La vie tirait vos parents à la courte paille, et Mac avait perdu… Mais il avait trouvé une autre famille. Mme Z. n'avait pas menti ; elle l'avait toujours traité comme son fils et Chet avait agi en frère, bien plus qu'en ami.

Seul Mac avait gardé ses distances. Pourtant, les Zumigalas n'avaient pas semblé en prendre ombrage : ils avaient continué à l'entourer d'amour, brisant ses défenses une à une.

Aujourd'hui, Mme Z. avait eu raison de la dernière d'entre elles. Il le comprenait enfin, cette femme merveilleuse était sa mère ; elle l'avait aimé, éduqué, conseillé.

Mia avait raison ; s'il pouvait suivre l'exemple des Zumigalas, ne serait-ce qu'un peu… Katie serait heureuse avec lui.

Cette révélation l'atteint comme un coup de poing ; il voulait garder Katie, avoir une chance de la voir grandir, de veiller sur elle. Peut-être ne serait-il pas le meilleur père au monde, mais jamais personne ne pourrait l'aimer plus que lui !

Voilà pourquoi il avait mis si peu de zèle à lui chercher des parents adoptifs, se dit-il. Comment aurait-il pu confier à un autre le soin de veiller sur elle ?

Un seul problème persistait. Katie méritait plus qu'un père adoptif. Il lui fallait une mère. Une excellente mère.

Mia.

Cette femme agissait sur lui comme un aimant. Mac avait tout d'abord essayé de se convaincre que cette attirance n'était que physique, mais pourquoi se mentir ?

Il avait envie qu'elle fasse partie de sa famille, non pas pour élever Katie, mais parce qu'il… l'aimait.

Mia Gallagher. Il voulait élever Katie avec elle, et lui faire d'autres enfants, qui auraient son rire et son merveilleux regard. Il voulait vieillir à ses côtés. Jamais il n'aurait cru cela possible, mais il avait *besoin* d'elle.

Oh non, songea-t-il soudain avec effroi, il ne pouvait pas lui demander cela ! Mia avait des projets, des rêves…

Ne serait-ce pas injuste de la demander en mariage…et surtout de lui demander de devenir la maman de Katie, au moment même où elle retrouvait sa liberté ? Elle avait travaillé si dur et si longtemps pour élever ses frères…

— Je ne sais pas quoi faire, dit-il à l'enfant endormie sur ses genoux. Je ne suis certain que d'une chose : j'arrête de te chercher une famille adoptive. Tu es à moi. Je sais que je ferai une tonne d'erreurs, mais je t'aimerai toujours, et je promets de faire de mon mieux.

Il adopterait Katie. Mme Z. avait raison, c'était le mieux qu'il puisse faire pour elle.

Mais que faire pour Mia ?

10.

Mia passa son dimanche matin enfermée chez elle, ressassant sa dernière conversation avec Mac. Il serait un merveilleux père, elle le lui avait dit et répété... mais têtu comme il était, Mac ne reviendrait pas sur sa décision envers Katie...

Ou envers elle.

Il l'avait pourtant mise en garde, dès le début, songea-t-elle. Eh bien, Mia ne pouvait pas le forcer à l'aimer... Mais toutes les mises en garde du monde n'empêcheraient pas les sentiments qu'elle avait pour lui !

Quant à Katie... une idée avait germé dans son esprit chez les Zumigalas, et malgré tous ses efforts, la jeune femme n'avait pas pu la chasser.

Si Mac refusait d'élever Katie... Mia le ferait.

Comment n'y avait-elle pas songé plus tôt ? Elle adopterait l'enfant, la verrait grandir, lui donnerait tout son amour.

Mac pourrait lui rendre visite aussi souvent qu'il le voudrait... *leur* rendre visite !

Oh, il allait certainement refuser, dire qu'il ne voulait pas d'une mère célibataire pour Katie. Mais Mia tiendrait bon ; elle avait d'excellents arguments.

S'il ne cédait toujours pas, elle appellerait Mme. Z en renfort, décida-t-elle. Mia ne doutait pas une seconde que la mère adoptive de Mac saurait lui faire entendre raison.

Quoi qu'il lui en coûte, elle démontrerait à Mac que Katie lui était destinée. Elle était sa mère, elle le sentait ! Et Mac était son père… Peut-être, un jour, parviendrait-elle à le lui prouver ?

Sa décision était prise. Mais comment l'annoncer à Mac ?

Il dirait qu'il cherchait une famille traditionnelle, pas une femme seule aux revenus modestes… Eh bien, Mia lui répondrait que personne n'aimerait cette enfant autant qu'elle, voilà tout.

Cela devait forcément peser dans la balance…

Prenant son courage à deux mains, Mia sonna chez Mac avec, en guise d'offrande, un ragoût fait maison pour le dîner.

Au dessert, elle n'avait toujours pas trouvé le courage de lui parler. Son assiette était restée intacte. Katie babillait gaiement sur ses genoux, loin de se douter que son avenir se jouerait dans les secondes à venir.

L'estomac noué par le trac, Mia prit une profonde inspiration.

— Mac ?

Il ne répondit pas. Il regardait par la fenêtre, les yeux dans le vague… encore.

— Mac…, répéta-t-elle.

— Pardon, je réfléchissais.

— Tout va bien ? Tu es distrait…

— Je vais bien.

Mia n'en crut pas un mot. Comme tout bon avocat, Mac savait masquer ses sentiments, mais elle n'était pas dupe. Depuis leur visite chez ses parents, il était pensif et silencieux.

— Tu es déçu que les Zumigalas refusent d'adopter Katie, n'est-ce pas ?

— J'espérais qu'ils la prennent avec eux... C'était à mes yeux une solution parfaite.

— Je sais. Mais j'y ai repensé la nuit dernière, et j'ai une idée. Je ne pense pas qu'elle t'enthousiasme, en tout cas pas à première vue... Alors je voudrais que tu m'écoutes jusqu'au bout avant de la rejeter.

— Qu'est-ce que c'est ? demanda-t-il, soudain totalement concentré sur elle.

— Promets-moi que tu me laisseras aller jusqu'au bout.

— D'accord.

Mia attendit.

Il soupira et leva la main droite.

— Je le jure, dit-il d'un ton exagérément solennel.

Mia sourit, puis inspira profondément.

— J'ai trouvé le foyer idéal pour Katie, dit-elle d'une traite.

— Mais tu as dit que l'endroit parfait pour elle... était avec moi ?

— Oui, je le pense encore, mais puisque tu n'en veux pas, j'ai trouvé une autre solution... Laisse-moi l'élever, Mac.

Elle attendit qu'il explose. Mais il tint sa promesse et resta assis là, les yeux fixés sur elle.

— Je sais que tu cherches une famille traditionnelle, avec un père et une mère, mais je veux que tu envisages la possibilité de me laisser l'adopter. Ce sera difficile au début, mais je l'ai déjà fait... Je la veux, Mac. Je ne sais pas comment te l'expliquer. Ce n'est pas qu'une envie, c'est... un besoin. Elle fait déjà partie de moi. Si tu la confies à quelqu'un d'autre, je souffrirai... Parce que personne ne pourra jamais l'aimer comme moi. D'autres lui offriront peut-être une meilleure sécurité financière... Mais moi, j'ai tant d'amour à lui donner !

— Et que feras-tu d'elle pendant que tu travailles ?

— Je la ferais garder, je suppose. Ce n'est pas la meilleure des solutions, mais… J'ai appelé Brigitta ce matin. Elle est prête à la prendre avec elle. Tu sais combien elle aime les enfants. Et puis mes frères l'adoreront. Ils feront de merveilleux oncles. Katie n'aura peut-être pas de père à proprement parler, mais mes frères s'occuperont d'elle et…

— Mia, que fais-tu de tes projets ? la coupa-t-il avec douceur. Tu voulais retourner à l'université, vivre enfin pour toi-même. Tu as passé tellement d'années à t'occuper de tes frères… N'as-tu pas mérité de réaliser tes propres rêves ?

— Je le pensais aussi, mais finalement… C'est Katie, mon rêve. Je veux être sa mère, Mac. Quant à l'université, j'y retournerai un jour ! On n'est jamais trop vieux pour apprendre, et mon diplôme attendra.

— Si tu repousses ce projet, tu ne trouveras peut-être jamais le temps de le réaliser. Mia, tu ne cesses de te sacrifier pour les autres… D'abord pour tes frères, et maintenant pour Katie ?

— Eh bien, qu'il en soit ainsi ! Je te l'ai déjà dit, il n'est pas question de sacrifice, mais d'amour. Aller à l'université m'aidera à trouver un meilleur travail, mais cela ne me rendra pas plus heureuse pour autant. Alors que Katie me comblera, je le sais.

Elle faillit ajouter que la seule chose qui la rendrait plus heureuse encore serait de l'élever avec lui… Mais Mac avait été très clair sur ce point : il ne voulait pas d'une relation durable. Il lui claquerait la porte au nez aussi fermement qu'il avait rejeté l'idée d'adopter Katie.

Si seulement elle pouvait l'aider à ouvrir cette porte ! songea-t-elle. Peut-être y réussirait-elle un jour ?

— Je t'en prie, dit-elle. Elever Katie est l'un de mes rêves les plus chers.

— L'un de tes rêves ? Tu en as d'autres ?

Oui, toi ! Avait-elle envie de crier.

— Eh bien, euh… l'université est un de mes rêves… Mais j'irai un jour, ne t'inquiète pas.

— C'est tout ?

— Enfin, Mac, c'est personnel ! J'en ai un autre… mais il est irréalisable, je l'ai compris. Alors que devenir la maman de Katie, je peux et je veux le faire !

Mac secoua la tête et Mia sentit son cœur se briser. Il n'allait pas lui confier la petite.

— J'aimerais pouvoir te dire oui, Mia, dit-il doucement, mais je ne peux pas. Vois-tu, je lui ai déjà trouvé une famille.

— Oh !

Mia sentit ses yeux s'emplir de larmes.

— Ne fais pas ça, dit-il d'une voix déchirée par l'émotion. Ne pleure pas !

Mia s'essuya les yeux d'un revers de manche.

— Je suis désolée. Je sais que tu veux faire au mieux pour elle ; tu veux qu'elle ait une famille classique avec un papa et une maman, tous deux bien installés dans la vie.

Mia comprenait pourquoi Mac souhaitait si désespérément trouver la famille idéale pour cette enfant : abandonné par ses parents, il voulait s'assurer que Katie aurait l'enfance qu'il n'avait jamais eue.

Qu'elle le comprenne ne l'empêchait pas de souffrir pour autant ! Mais il lui fallait cacher sa peine pour épargner Mac.

— Parle-moi de la famille parfaite que tu lui as trouvée…

— Ils ne sont pas parfaits. Mais je suis certain qu'ils rendront Katie heureuse, répondit-il. Vois-tu, j'ai compris bien des choses ces dernières semaines. Les liens familiaux sont tissés par l'amour, non par le sang. J'ai trouvé une famille chez les Zumigalas ; il en sera de même pour Katie. Son nouveau père traîne quelques blessures d'enfance, mais il les soigne.

Sa nouvelle mère... Eh bien, elle approche de la perfection ! Elle a toujours compris l'importance de la famille, et j'ai pu constater qu'elle est prête à tout pour la sienne. Elle aimera Katie comme sa fille. Un père, une mère et peut-être même des frères et des sœurs... voilà ce que je lui offre.

Mia prit conscience qu'elle n'avait pas le droit de priver Katie d'une telle famille. Elle aimait suffisamment l'enfant pour renoncer à elle.

— Tu as raison, ils ont l'air parfait. Quand part-elle ?

— Elle ne part pas.

— Je ne comprends pas ! Tu viens de dire que...

— ... que je lui avais trouvé la famille idéale. Et c'est le cas.

Plongeant sa main dans la poche de sa veste, il en sortit une petite boîte de velours.

— Katie et moi l'avons choisie hier soir.

— Mac ? murmura-t-elle, n'osant comprendre.

— Epouse-moi, formons une famille. Je t'aime... Je te demanderais de m'épouser même si nous n'avions pas trouvé Katie.

Elle lui lança un regard dubitatif. Mac éclata de rire.

— Très bien, je l'admets, cela m'aurait certainement pris plus de temps. Mais nous l'avons trouvée... et grâce à elle, je l'ai compris plus tôt : je t'aime. Nous sommes faits l'un pour l'autre.

— Tu es sûr ? Tu disais...

— J'ai dit beaucoup de choses. Mais je n'ai jamais déclaré à aucune femme que je l'aimais, jusqu'à présent. Je ne pensais pas le dire un jour ! D'un autre côté je jurais n'être pas fait pour la paternité... et regarde-moi aujourd'hui ! Je suis le père de Katie. Elle fait partie de moi... de toi. Je ne veux plus essayer de nous séparer.

— Moi non plus ! s'écria-t-elle en se jetant à son cou. Ce rêve dont je ne voulais pas te parler… C'était toi. J'étais persuadée que jamais il ne se réaliserait. Oui !

— Oui ?

— Oui, je t'épouse. Je veux être ta femme et la mère de Katie.

— Et pour l'université ?

— J'y retournerai, c'est promis. Peut-être prendrais-je moins de cours par semaine…

— Mais cela te prendra plus de temps pour compléter ton diplôme !

— J'aurai plaisir à garder moi-même nos enfants tant qu'ils sont jeunes, à les voir grandir. Avec quelques heures de cours par semaine, j'aurai complété mon diplôme lorsqu'ils iront à l'école et je pourrai alors chercher un emploi de professeur.

— Nos enfants ? murmura-t-il.

— Oui, au moins deux ou trois de plus. Prévois un panier de basket au-dessus de la porte du garage, comme celui des Zumigalas ! Et tu devras aussi rencontrer mes frères… Ils risquent de te mener la vie dure dans un premier temps ; ils aiment à penser qu'ils me protègent, mais je sais qu'ils t'adopteront vite. Et…

— Mia… Tout cela est parfait, dit-il doucement, suivant d'un doigt le contour de sa mâchoire. Mais pour l'heure, tais-toi et embrasse-moi.

— Avec joie, Larry !

Serrant Katie dans leurs bras, ils scellèrent leur promesse d'un baiser.

Épilogue

— Katie O'Keefe Mackenzie, arrête-toi tout de suite !

Marion sur une hanche, Mia courut après Katie, surnommée « la terreur des piétons ».

— Tu sais bien qu'il ne faut pas rouler trop près de la route, chérie. Tu m'as fait peur.

— Pardon, maman, murmura la fillette.

Elle sauta de son tricycle et vint embrasser sa mère. Au même moment, la voiture de Mac apparut dans l'allée.

— Papa ! s'écria Katie.

— Comment va ma princesse ? demanda-t-il en la soulevant de terre.

— Bien, papa, mais je n'ai pas le droit de rouler trop près de la route.

— En effet, chérie, c'est dangereux, dit-il avant de se tourner vers Mia. Et ma petite Marion a-t-elle été sage ?

L'étincelle qui brillait dans les yeux de Mac lorsqu'il la regardait ne manquait jamais de lui couper le souffle. Mia caressa les cheveux de leur dernière-née, baptisée en souvenir de Marion O'Keefe.

— Comme une image, répondit-elle.

— Moi je ne suis pas une image, papa ! s'exclama Katie. Je suis costaud, ajouta-t-elle en montrant ses petits biceps.

— Une vraie terreur, sourit-il. Papa et maman ont appelé sur mon portable, dit-il à sa femme. Ils devraient arriver d'ici à une demi-heure.

— Papi et Mamie ! s'écria Katie. C'est long, une demi-heure ?

— Non, pas du tout, répondit Mac en riant. Tes oncles Chet, Marty et Ryan viennent aussi pour le dîner.

— J'adore les fêtes ! Dis, papa, j'aurai le droit de souffler les bougies ? Il y aura des ballons et des cadeaux et je jouerai avec mon oncle Marty et…

Mia écouta sa fille énumérer ses projets pour la soirée.

— Déjà deux ans que nous avons adopté Katie, chuchota-t-elle.

— Et que tu m'as dit « oui » devant Monsieur le Maire, renchérit Mac. Le temps passe vite lorsqu'on est heureux. Et ce n'est que le début…

Mac souleva Katie et la chatouilla. Tandis que la fillette riait aux éclats, Mia serra sa cadette un peu plus fort contre elle.

Sa famille, songea-t-elle.

Une famille bâtie sur l'amour.

Le nouveau visage de la collection Or

◆

AMOURS D'AUJOURD'HUI

Afin de mieux exprimer sa modernité et de vous séduire encore davantage, votre collection Or a changé de couverture et de nom depuis le 1er mars 1995.

Rassurez-vous, les romans, eux, ne changent pas, et vous pourrez retrouver dans la collection **Amours d'Aujourd'hui** tous vos auteurs préférés.

Comme chaque mois, en effet, vous y attendent des héros d'aujourd'hui, aux prises avec des passions fortes et des situations difficiles...

COLLECTION
AMOURS D'AUJOURD'HUI :
Quand l'amour guérit des blessures de la vie...

Chère lectrice,

Vous nous êtes fidèle depuis longtemps?
Vous venez de faire notre connaissance?

C'est pour votre plaisir que nous avons
imaginé un rendez-vous chaque mois
avec vos auteurs préférés, vos
AUTEURS VEDETTE dans les
collections Azur et Horizon.

Les AUTEURS VEDETTE vous
donneront rendez-vous pour de
nouveaux livres vedette.

Pour les reconnaître, cherchez
l'étoile... Elle vous guidera!

Éditions Harlequin

AUT-R-R

HARLEQUIN

LE FORUM DES LECTEURS ET LECTRICES

CHERS(ES) LECTEURS ET LECTRICES,

VOUS NOUS ETES FIDÈLES DEPUIS LONGTEMPS?

VOUS VENEZ DE FAIRE NOTRE CONNAISSANCE?

SI VOUS AVEZ DES COMMENTAIRES, DES CRITIQUES À FORMULER, DES SUGGESTIONS À OFFRIR, N'HÉSITEZ PAS… ÉCRIVEZ-NOUS À:

> LES ENTREPRISES HARLEQUIN LTÉE.
> 498 RUE ODILE
> FABREVILLE, LAVAL, QUÉBEC.
> H7R 5X1

C'EST AVEC VOS PRÉCIEUX COMMENTAIRES QUE NOUS ALLONS POUVOIR MIEUX VOUS SERVIR.

DE PLUS, SI VOUS DÉSIREZ RECEVOIR UNE OU PLUSIEURS DE VOS SÉRIES HARLEQUIN PRÉFÉRÉE(S) À VOTRE DOMICILE, NE TARDEZ PAS À CONTACTER LE SERVICE D'ABONNEMENT; EN APPELANT AU (514) 875-4444 (RÉGION DE MONTRÉAL) OU 1-800-667-4444 (EXTÉRIEUR DE MONTRÉAL) OU TÉLÉCOPIEUR (514) 523-4444 OU COURRIER ELECTRONIQUE: AQCOURRIER@ABONNEMENT.QC.CA OU EN ÉCRIVANT À:

> ABONNEMENT QUÉBEC
> 525 RUE LOUIS-PASTEUR
> BOUCHERVILLE, QUÉBEC
> J4B 8E7

MERCI, À L'AVANCE, DE VOTRE COOPÉRATION.

BONNE LECTURE.

HARLEQUIN.

VOTRE PASSEPORT POUR LE MONDE DE L'AMOUR.

ROUGE PASSION

De fiévreuses histoires d'amour sensuelles!

De provocantes histoires d'amour passionnées et romantiques qu'on lit d'une seule traite. Aventureuses, parfois humoristiques, et sensuelles, elles mettent en vedette des hommes et des femmes d'aujourd'hui.

ROUGE PASSION... trois nouveaux titres chaque mois.

L'ASTROLOGIE EN DIRECT
TOUT AU LONG
DE L'ANNÉE.

(France métropolitaine uniquement)
Par téléphone 08.92.68.41.01
0,34 € la minute (Serveur SCESI).

Composé et édité par les
*éditions*Harlequin
Achevé d'imprimer en août 2005

BUSSIÈRE
GROUPE CPI

à Saint-Amand-Montrond (Cher)
Dépôt légal : septembre 2005
N° d'imprimeur : 51977 — N° d'éditeur : 11571

Imprimé en France